I coralli

© 2020 Giulio Einaudi editore s.p.a., Torino

www.einaudi.it

ISBN 978-88-06-24328-9

Eleonora Sottili

Senti che vento

Einaudi

a Cè e Ricca
a Poddi

Senti che vento

Quando mi consegnarono l'abito da sposa, il tempo minacciava tempesta.

La nonna aveva detto che le facevano male le ossa mentre prendeva il caffè quella mattina. Prestava grande attenzione alle sue ossa, segnavano il gradiente di umidità dell'aria, prevedevano cambi di vento e sbalzi atmosferici. Avevano capacità divinatorie, che consistevano per lo più in scricchiolii, dolori e schiocchi improvvisi.

– Fanno come il legno, – diceva la nonna, e in quelle giornate io la immaginavo sostenuta da una sottile intelaiatura di faggio.

In ogni caso avevano sempre ragione, le sue ossa.

Il cielo alla foce era buio e sfrangiato, come succedeva quando arrivavano i temporali dal mare. Il vento tirava a raffiche e, a seconda di come si spostavano le nubi, sulla superficie del fiume si spalancavano improvvise chiazze di buio. In quei punti l'acqua diventava inquieta, con creste aguzze e nere che si rompevano contro i bordi delle cose.

La signora del negozio era arrivata verso le dieci. Due suoni brevi al cancello, come per farsi riconoscere.

Era una donna che con gli elementi naturali non c'entrava, avevo pensato guardandola dal balcone. Cercava di proteggersi dal vento e insieme tratteneva la carta velina che sbatteva tutto intorno al mio vestito e poteva strapparsi da un momento all'altro.

3

Appena le fui di fronte, mi appoggiò sulle braccia il pacco in cui avevano incartato l'abito. Era evidente – anche se continuava a sorridere – che di quel vestito voleva solo liberarsi. Troppo voluminoso, delicato e bianco per una giornata di pioggia.

– Allora tanti auguri. È domenica prossima, no? – disse in fretta, aggiustandosi il foulard che le svolazzava intorno al viso.

– Sí, signora, grazie.

– Emozionata?

– Un po', sí, credo di sí.

– Vedrà, resteranno a bocca aperta mentre andrà all'altare, il vestito è una meraviglia. L'accompagna suo padre?

Parlava piú forte del necessario, come se fossimo in alto mare. Le risposi che no, mio padre non c'era piú. Da tanti anni. – Mi accompagna mia madre, – e mentre lo dicevo cercai d'immaginare come sarebbe stato, io e lei che avanzavamo al centro della chiesa, e poi, una volta arrivate all'altare, nel silenzio, la mamma che faceva scattare la lama del suo coltello a serramanico. Chissà se anche quel giorno sarebbe venuta armata.

– Mi scusi, non sapevo di suo padre, – disse.

– Non si preoccupi, come avrebbe potuto?

– Sarà un giorno felice.

E io pensai, sí, lo sarà.

– Grazie ancora, – dissi.

Aspettai che si allontanasse, poi chiusi il cancello. Portai l'abito su in camera, lo appoggiai sul letto, scartai la velina e tutto s'impregnò del profumo di cose appena stirate.

Fuori l'aria stava diventando piú buia e il vestito pareva risplendere. Lo misi sopra una gruccia e lo appesi all'anta dell'armadio. Continuò ancora un po' a oscillare. Dietro al profumo di lavanda sembrava ci fosse una nota ferrosa, me la sentivo in bocca, quasi mi stessi mangiando la stoffa.

Ma forse era solo l'odore del fiume.

Adesso stava gonfiando. Piú compatto, aveva il colore della pioggia, un tortora cupo con riflessi scuri. Lungo l'argine arrivavano i fuoristrada dei vigili del fuoco.

C'era lo stato d'allerta.

Uno

A fine agosto aveva cominciato a piovere in un modo definitivo, e il livello del fiume era salito. Gli uomini della protezione civile ci avevano portato i sacchi di sabbia da mettere contro le porte e nelle nostre vite si era infilato un nuovo vocabolario. Parole che fino all'estate precedente non ci riguardavano, erano diventate d'un tratto familiari. Allagamento, zone rosse, mezzi di soccorso, millimetri d'acqua.

Ecco, anche questa cosa non era mai accaduta prima, e adesso qualcuno misurava la pioggia.

Durante la notte c'era sempre la telefonata del sindaco. Il telefono ci svegliava di colpo e la voce registrata diceva che l'allerta era arancione o rossa. Poi elencava le zone da evitare, e quelle potevano cambiare di volta in volta.

La nostra casa comunque ci rientrava sempre, essendo proprio sul fiume, e allora prima che cominciasse a piovere ci dicevano di salire ai piani alti. C'era il rischio di essere trascinati via dall'acqua, di restare intrappolati nell'auto, di annegare. E anche se soltanto fino all'anno prima da noi sembrava impossibile, presto ci abituammo a pensare che di troppa pioggia si potesse anche morire.

Cosí la nonna, la mamma e io salivamo di sopra e stavamo per lunghi pomeriggi a leggere e ad aspettare che il diluvio cessasse o che arrivassero gli elicotteri.

Io sceglievo Edgar Allan Poe, che era perfetto per i temporali, la mamma *Gita al faro* della Woolf e la nonna adorava ascoltare l'opera. Il pomeriggio del vestito, la mamma

7

e la nonna dissero che dovevamo prepararci al peggio. Il barometro era sceso all'improvviso, bastava picchiare con l'unghia sul vetro per verificarlo, e prepararsi al peggio si era tradotto in un'attività frenetica che ci aveva assorbito per il resto della giornata finché non era scesa in strada un'oscurità opprimente, odorosa di alghe e muffa.

Ogni volta che faceva brutto sembrava che la nostra casa buttasse fuori tutta l'acqua che impregnava i muri. Recuperavano un sentore piú netto di calce, si sfarinavano, la terra intorno diventava molle, mentre le piante assumevano una strana gravità, il loro verde appariva subito piú torbido e pesante.

La nonna era rimasta in giardino fino all'ultimo, a passare intorno ai tronchi e ai rampicanti dei pomodori doppie mandate di cime, mentre io e la mamma avevamo ritirato il bucato e lo avevamo steso dentro, al coperto, quindi avevamo aggiustato la porta della rimessa che da un po' non chiudeva bene e raccolto dalla legnaia dei ciocchi per le stufe. Ce n'erano ancora due vecchie, una al piano terra e una al primo, sul ballatoio, dove si affacciavano le camere da letto. Era uno spazio grande e quadrato, anacronistico per le nuove architetture, ma che a noi piaceva, perché di pomeriggio, per via degli alberi e del promontorio dietro casa, sprofondava in un colore quasi sottomarino, un verde solforoso.

Ci avevamo messo delle sedie, una poltrona e un tappeto, e spesso trascorrevamo lí le giornate piovose.

Verso le sette rientrammo. La nonna aveva le mani piene di terra ed era infuriata.

Gli improvvisi rovesci e le zone rosse per lei costituivano soltanto un'altra voce nell'elenco delle complicazioni infinite di quella casa.

I ragni, le falene d'estate, le lumache dell'umidità, la polvere, i gatti, il vento, il caldo, la distanza e la desolazione, le infiltrazioni, il pozzo, le sedie di plastica, i rumori e il silenzio, i pescatori e i turisti, il forno, la lavastoviglie, la pasta che non lievitava, l'acqua fredda, l'acqua calda, la luce che andava via, la luce che tornava all'improvviso mentre lei dormiva. L'elenco era un compendio di tutto quello che ci era capitato di brutto in quei diciassette anni a Bocca di Magra. E anche di quello che ancora non era successo, ma che sarebbe potuto succedere. Qualsiasi cosa rappresentava una ragione plausibile per detestare la casa sul fiume e il fatto di doverci abitare.

Si era trasferita da noi dopo che, a tre giorni di distanza l'uno dall'altro, erano morti mio padre e mio nonno.

Mio padre si era ammalato che io avevo undici anni, dopo un certo periodo le cure non avevano piú fatto effetto, mentre per mio nonno era stata una cosa veloce, un dolore al cuore, meno di una settimana in ospedale, e poi si era addormentato nel sonno, ma il caso aveva voluto che, pur arrivandoci in modi tanto diversi, il momento di andarsene per papà e il nonno fosse quasi coinciso. E cosí eravamo rimaste sole.

Ognuna di noi, da allora, cercava soprattutto di sopravvivere. Si trattava di resistere alla sofferenza, una massa scura, senza forma, dentro alla quale rischiavamo di cadere a ogni passo.

Sopravvivevamo e facevamo la spesa perché in quei mesi le mancanze sembravano collegarsi tra loro, un bottone in una giacca, il pane, mio padre, il latte in frigo, il mangiare per i gatti, il nonno. Si cercava di rimediare subito e si usciva a comprare quello che non c'era.

Non ne parlavamo quasi, tra noi. Né dell'effetto che la loro assenza ci facesse e neanche del nonno e di papà, di com'erano stati, delle loro manie o abitudini, che di solito sono le prime cose che ti vengono in mente quando non vedi piú qualcuno. Che mio nonno si annodava il tovagliolo intorno al collo prima di pranzare e trascorreva la maggior parte del tempo a fare la «Settimana enigmistica»; che a mio padre piaceva la roba vecchia e ogni

9

tanto portava a casa un lampadario trovato da un rigattie-
re, o che la mattina prima di andare al lavoro controllava
la sua bicicletta da corsa, ci dava l'olio e la passava con
un panno anche se non la usava piú; che il nonno voleva
sempre la stessa forchetta e lo stesso cucchiaio, quelli di
quando navigava, cosí gli sembrava ancora di mangiare
sottocoperta.

Non ne parlavamo. E di conseguenza, da un lato pareva
non fossero mai esistiti e dall'altro era come se il nonno e
papà abitassero ogni parola che non sceglievamo, ogni frase
che non potevamo dire, ogni pensiero che ci impedivamo.

La mamma, dal canto suo, se ne andava in giro con il
coltello.

Era un coltello a serramanico, con un'impugnatura di
osso e acciaio. L'estrazione della lama era particolarmente
rapida e faceva un rumore secco.

Era appartenuto a mio padre, lo usava quando andava a pesca o nei boschi per funghi, o quando doveva fare
qualche lavoro in barca, e lei adesso lo portava sempre con
sé e lo spostava da una borsetta all'altra. Gli riservava la
medesima cura che aveva per il portacipria, il burro di ca-
cao, lo specchietto e il borsellino degli spiccioli, facendo
attenzione a non dimenticarlo e sistemandolo in qualche
tasca interna per essere sicura di non perderlo.

Poi metteva l'allarme, usciva di casa e si allontanava
lungo il fiume.

Da piccola ero sempre stata convinta che prima o poi
sarebbe accaduto. Che mia madre se ne sarebbe andata,
per via della canzone.

Temevo che la canzone avrebbe prodotto l'effetto definitivo e io, alzandomi al mattino, non l'avrei piú trovata vicino alla radio, e perciò, quando mi svegliavo, speri-
mentavo sempre una specie di sospensione al centro dello
stomaco, come un vuoto, un'interruzione che si colmava
e scompariva soltanto nel momento in cui sentivo i soliti

rumori dalla cucina – urtare di porcellane, accendersi di fuochi, scorrere d'acqua –, e allora sapevo che la mamma c'era ancora.

La canzone la trasmettevano tutti i giorni, credo fosse la sigla di un programma, ma io quella ripetizione quotidiana la vivevo come un attacco personale alla nostra tranquillità domestica.

Parlava di una nave, di una notte su una nave, ed era cosí facile immaginare i saloni con le signore in abito da sera e l'orchestra che suonava, le luci e i calici di champagne e il rollio dell'oceano sullo sfondo, e subito dopo immaginare un'uscita che dava sui ponti, lunghi e bui, con quell'odore di legno umido e catrame, e la leggera scivolosità che hanno le superfici dei transatlantici durante la navigazione. Era facile immaginare che – come diceva la canzone? – qualcuno si allontanasse dalla sala da ballo e cadesse e, onda su onda, finisse per perdersi nel mare.

Ma non era neanche quella la parte che piú temevo, era dopo, quando si parlava dell'isola.

Dell'isola in cui arrivava il naufrago, un'isola stupenda, con palme e bambú, il sole, banane e lamponi, e a quel punto, mentre la canzone stava finendo, e ogni giorno finiva allo stesso modo, io provavo a fare delle cose, a coprire con la mia voce o con dei rumori quelle ultime strofe, ma non serviva a nulla perché mia madre la conosceva a memoria e ripeteva, onda su onda, mi sono ambientato ormai, il naufragio mi ha dato la felicità che tu non mi sai dar…

E allora era come se un vento improvviso soffiasse nello spazio tra il lavabo e i fornelli, un vento da burrasca, e io temevo che da un momento all'altro potesse volarsene via con quel vento per raggiungere l'isola dei lamponi e la felicità che – avevo la sensazione –, né io né mio padre riuscivamo a darle fino in fondo.

Ma alla fine partire per lei era diventato impossibile e lo era diventato proprio perché mio padre era morto. Continuava a desiderarlo, forse, un desiderio instancabile che a volte, in certe giornate autunnali, quando la luce andava via presto e intorno ristagnava un'aria azzurra e ferma, si faceva piú forte.

Allora capitava di trovarla china sugli atlanti geografici del nonno. Li spalancava sul tavolo da pranzo e con una lente prendeva a leggere i nomi di Paesi lontani, nomi scritti piú o meno grandi a seconda degli abitanti. E se le chiedevo, che fai, la mamma mi diceva, volevo sapere dove si trovava Santa Kilda, guardavo a che altezza è La Plata, cercavo le cascate dell'Iguazú, le isole Figi, il vulcano Eyjafjöll, m'interessava capire quanto dista Macao da Hong Kong.

Continuava a farmi un po' paura che si interessasse tanto alla collocazione dei posti nel mondo, non volevo che avesse bisogno di cercarli, di conoscere la loro altezza o la loro distanza, perché sapevo che aveva di nuovo a che fare con la canzone e l'isola dei lamponi. Dopo, tuttavia, sembrava piú tranquilla. Si metteva in salotto, accendeva l'abat-jour e leggeva qualcosa, oppure guardava un telegiornale. A volte sistemava la collezione degli animali di terracotta.

Insomma, in un modo o nell'altro, dopo aver controllato latitudini e longitudini si lasciava avvolgere di nuovo dalla nostra casa.

E comunque alla fine non era partita.

Si era messa in tasca il coltello di mio padre e aveva deciso che la nonna sarebbe venuta a vivere con noi.

La nonna non voleva. Ripeteva che abitavamo in campagna – non era cosí, ma intorno avevamo del verde e tanto bastava – e che in campagna c'erano un sacco di insetti e bestie, e che lei stava bene a casa sua.

Io non sapevo cosa fosse meglio, la nonna Fulvia non era un tipo facile. Parlava con frasi brevi e non le andava quasi mai bene niente. Era piuttosto brusca e su di lei si raccontavano degli aneddoti, tipo che una volta, quando mio nonno era stato stanziato dalla Marina a La Maddalena, una signora sarda le aveva offerto delle fave e lei aveva rifiutato dicendo che, grazie, ma in Emilia le fave si davano ai maiali.

Non lo aveva detto per avvilirla, ma semplicemente perché era vero e cosí non c'era niente di male a farlo presente alla signora e a non mangiare quelle sue fave.

Bisognava fare attenzione alla nonna, e il mio timore era che nessuna di noi, in quel momento, fosse in grado di fare davvero attenzione a qualcosa.

In ogni caso mia madre l'aveva convinta.

Avevamo due gatte all'epoca, una nera e una grigia, e quando la mamma e la nonna erano arrivate di fronte alla porta d'ingresso con le valigie, la grigia aveva depositato un topo morto sullo zerbino d'entrata. Non era un topo di fiume, di quelli grandi e scuri, fortunatamente. Si trattava di un affarino piccolo che muoveva anche un po' alla compassione. Mia madre fu velocissima, gli tirò un calcio per non farlo vedere alla nonna: uno strano accostamento, la forma elegante della décolleté di mia madre, contro il fianco amorfo e un po' molle del topo.

La cosa dovette ripetersi altre due o tre volte quel giorno. La gatta, con l'aria magra da fine estate, andava a ripescare il topo tra i cespugli e lo rimetteva esattamente nello stesso punto, come per farci capire che si trattava di un regalo, un regalo importante.

Ecco, avevo pensato mentre toccava a me trasferire il topo con minuscoli calcetti, sarà complicato avere qui la nonna. Quanti topi dovremo spostare d'ora in poi?

In realtà di topi non ne avevamo dovuti spostare cosí tanti e la nostra vita aveva poi preso un andamento piú o meno normale. La mamma aveva cominciato a lavorare in una libreria di Sarzana e grazie al suo stipendio, alle pensioni di reversibilità e alla rendita di una casa data in affitto a Montemarcello, ce la cavavamo bene.

Tuttavia avere la nonna a casa con noi era complicato come avevo temuto.

– Il finimondo, – disse. – Stasera viene giú il finimondo.

Poi andò a sciacquarsi le mani, spalancò il frigo e per un po' rimase cosí, avvolta dal chiarore della luce interna, mentre prendeva le uova, le zucchine e il parmigiano per preparare la cena.

Si mise a rompere le uova e le fece cadere una via l'altra dentro una ciotola di porcellana bianca. Quella delle uova era una delle cose piú frequenti che le vedevo fare. Le picchiava contro il bordo del tavolo, con un gesto deciso, senza guardare, e riusciva ogni volta a farle dividere esattamente a metà. Separava il tuorlo e l'albume lo buttava nel lavandino.

Passaci subito l'acqua, diceva, che sennò poi sa tutto di rinfrescume. E *tutto* per mia nonna significava davvero tutto. A volte le prendeva una smania e cominciava, questi bicchieri sanno di rinfrescume, questi piatti sanno di rinfrescume e ci costringeva a lavare ogni cosa da capo col succo di limone, che era l'unico rimedio.

Ma quello che per lei sapeva piú di tutto di rinfrescume era il fiume e lí non ci si poteva fare niente. Annusava l'aria e diceva, c'è sempre il marcio, sentite? C'è sempre il marcio qua.

– Faccio la frittata –. Si girò verso il lavello e ci voltò le spalle. Sentii che passava il coltello lungo la buccia, mentre teneva le zucchine sotto il rubinetto. Toglieva la peluria spinosa che poi cadeva nel lavandino e lasciava intorno allo scarico tracce filamentose, che la facevano dannare.

– Sono piene d'acqua, non sono mica buone. È una terra cattiva questa, le cose vengon male.

– Oh, mamma per favore. È una terra come le altre, – disse mia madre, – si vede che è piovuto troppo, tutto qui.

– Da noi le zucchine erano dolci e sode, altroché.

Da noi significava in Emilia, che nelle frasi della nonna assumeva sempre i contorni di una terra mitica e lontana,

14

un luogo promesso da cui a un certo punto le congiunture della vita l'avevano strappata.

In Emilia le zucchine erano piú sode, i maiali piú grandi e rosa, il formaggio piú dolce, il grano piú maturo, l'aria piú buona e la gente, ah, la gente sí che si dava da fare. «Mica come voi». E con *voi* la nonna intendeva tutte le altre popolazioni ed etnie del pianeta. «Voi siete tutti *posapiano*».

E cosí io da ragazzina immaginavo l'Emilia come un'immensa pianura dove sfrecciavano figure velocissime e indaffarate, mentre quel *posapiano* mi faceva pensare a mia madre e a me che appoggiavamo qualcosa, ma *lentissimamente*.

– Da noi le zucchine neanche le riesci a bucare con la forchetta da tanto son dure. Ma che ne vuoi capire tu, Cella?

Cella era mia madre. Si chiamava Graziella, in famiglia l'avevano abbreviata in Cella o Cellina. Ma qualche volta era solo Cè, come il rivoluzionario sudamericano, e proprio come succedeva con lui, quel suono breve e aperto le dava una specie di luce, d'immediatezza accesa. Anche il nome di mia nonna aveva a che fare con la luce, Fulvia, mi faceva pensare a un lampo, a qualcosa di luminoso.

– Va be', ti serve qualcosa?

– Il prezzemolo, vammene a prendere un po', ma guarda che è già tutto giallo, non prendere quello giallo.

– Non prendo quello giallo, – ripeté mia madre e sparí con la cerata addosso.

– S'è bruciato, – continuò la nonna come tra sé. – Il prezzemolo è secco, e le zucchine piene d'acqua. È proprio la terra che è cattiva.

Poi si accorse di me.

– E te Agata? Forza dài, non startene lí imbambolata. Fai qualcosa, che so, prepara l'insalata.

Mia madre tornò con il prezzemolo e i capelli pieni di vento. Ci si passò le mani per sistemarli. La nonna le diede un'occhiata veloce, poi fece scivolare le uova sbattute in padella e lo sfrigolio dell'olio coprí per un momento il rumore della tempesta che stava arrivando.

– Il finimondo, ecco cosa ci toccherà. Il finimondo. Chissà che vi ha detto la testa di prendervi questa casa. E a me di venirci. Hai pulito l'insalata, Agata? Apparecchia, va'. Dovrai apparecchiare tutte le sere adesso, sai? E fare da mangiare.

Adesso significava quando mi sarei sposata. Nessuno pronunciava la parola matrimonio, la nonna diceva soltanto *adesso*, la mamma sembrava che ogni tanto se ne dimenticasse. Era venuta con me a scegliere il vestito e a fare altre commissioni, ma dava l'impressione di non pensarci.

Presi la tovaglia, i piatti e i bicchieri. Cominciai a fare avanti e indietro tra la cucina e la sala dove mangiavamo. Cercai di sistemare bene le posate. *Adesso*, pensai.

«È domenica prossima, no?» aveva detto la donna consegnandomi il vestito. Mancavano appena sei giorni.

Ci furono due tonfi, le noci che cadevano sulla copertura del pozzo. Il vento stava diventando piú forte. Arrivò un camion cisterna e si fermò dall'altra parte della strada, la luce della sirena entrava dalle finestre a intervalli. Spensi il lampadario e rimasi a guardare che effetto faceva il giro del lampeggiante sulla tovaglia, come i bicchieri apparivano e sparivano nel fascio giallo della sirena.

– Agata, che fai? Perché stai al buio? – mi gridò la nonna dall'altra stanza. Appoggiai l'acqua frizzante al centro del tavolo.

Dopo cena mia madre prese il panno verde. Ci aveva fatto mettere l'elastico e cucire i semi delle carte agli angoli. Soldi buttati, aveva detto la nonna, ma poi dalle vicine a giocare non ci voleva mai andare perché le carte scivolavano dappertutto, e cosa ci voleva? Perché non si facevano fare una coperta di panno come la nostra, diceva. Son proprio liguri.

– Dài tu le carte, Cella, che io faccio i mazzetti. E non contare a voce alta che sennò mi confondi.

Mia madre prese a mescolare. Piegava le carte ad arco per poi lasciarle frusciare, come i croupier.

Erano terribilmente diverse: la nonna che a ottant'anni adorava i suoi piccoli spazi, attaccata agli oggetti e irremovibile, al punto che quando le chiedevamo di andare a fare una gita, ci rispondeva sempre, io sto bene a casa mia, dimenticandosi persino che la casa sul fiume non era proprio *la sua* e che l'aveva sempre detestata; mia madre, che aveva appena cinquantanove anni e un'illimitata tendenza all'inquietudine, a cui lo spazio non bastava mai.

E tuttavia le legava qualcosa di profondo e fortissimo, come certi filoni d'oro che corrono insospettati sottoterra.

Lo si capiva proprio quando giocavano a carte perché d'un tratto apparivano comprese in una sorta di armonia: lo scarto di un re, la composizione di una scala o di un tris sprigionavano un tale affiatamento, anche se erano avversarie.

Non mi piaceva quando la nonna metteva in croce mia madre per le zucchine acquose o il prezzemolo secco, ma forse ancor meno mi piaceva se andavano d'accordo.

Una volta – potevo avere otto, nove anni – la nonna m'aveva detto, l'importante è che non fai come tua madre.

Lí per lí non avevo capito, e allora lei aveva aggiunto, che s'è fidanzata troppo presto. Sorvolando sul precoce fidanzamento dei miei, che in effetti s'erano conosciuti in seconda liceo, io in quella battuta c'avevo subito visto altro e avevo concluso che la nonna non fosse affatto contenta di papà, che non gli volesse bene e che per sua figlia avrebbe desiderato un marito diverso. Del resto, lei voleva sempre qualcosa di diverso. E cosí, quando in casa aveva preso il suo posto, per quanto fosse assurdo, una parte di me s'era convinta che ci fosse stata una premeditazione e forse una colpa: mi si era invertito l'ordine degli eventi, l'arrivo della nonna era diventata la causa e la morte di mio padre la conseguenza.

Per questo una parte di me, nonostante tutto, continuava a diffidare di lei.

– Cosa mi scarti, Cè?

Un quattro di fiori si aggiunse alla fila delle carte sul tavolo.

– Non mi serve, – disse la nonna e fece il suo gesto portafortuna, che era una cosa tipo mettere le dita a becco e picchiare sul mazzo prima di pescare e insieme un verso con la bocca – *shhh, shhh* –, come se del sale cadesse sulle carte.

Quando giocavano e stavano ore sedute al tavolino, e segnavano in colonne ordinatissime i punteggi e seguivano regole precise e inviolabili, io mi dicevo, non c'entro niente con loro. Non c'entro niente.

E nell'ultimo periodo, mentre finiva l'estate e la data del mio matrimonio si avvicinava, quella frase era tornata sempre piú spesso, come una formula, una ripetizione scaramantica, non tanto diversa da quella che mia nonna utilizzava per pescare la carta migliore.

A mia nonna non ero mai piaciuta granché. Ero di un materiale diverso, io. Piú fragile, incerto, spesso refrattario.

Da bambina ero disordinata, non avevo boccoli biondi e abitini rosa confetto, ridevo troppo forte, non mettevo mai per bene gli asciugamani in bagno dopo averli usati e se uscivo in giardino quasi sempre mi sporcavo di terra. Non voleva che andassi a giocare lungo il fiume coi ragazzini del vicinato che erano maschi e pescavano e toccavano i lombrichi, non le andava proprio giú che stessi al mare fino a tardi e portassi la sabbia in casa.

Quando avevo cominciato ad avere i primi innamoramenti, la nonna sfiniva mia madre. Non va bene che esca cosí spesso, non sappiamo neppure dove va. Mia madre parava i colpi e mi domandava di portare gli amici a casa, cosí lei e la nonna potevano stare tranquille. Io li portavo e la nonna iniziava a catalogarli spietata, poi concludeva: «Ma un bel ragazzino? Lo troverai mai un bel ragazzino, preciso, gentile, educato? E certo, se anche tu lo fossi magari. Carina, educata e gentile. E invece, sempre quei jeans e mai un vestito, mai delle belle scarpe con un po' di tacchetto, che non sei tanto alta, e un po' di tacchetto aiuterebbe, sai?»

Un giorno arrivò a dirmi che ero un «nientino».

Non mi ricordo il contesto, né perché lei avesse alla fine scelto per me una simile definizione. E tuttavia mi si conficcò dentro come uno spillo, o una scheggia. L'invenzione di quel diminutivo, invece di attenuare il significato della parola niente, l'aveva resa piú fine e appuntita.

Del resto, se non ero riuscita nel tempo a diventare compita e gradevole come si augurava la nonna, tantomeno ero una donna intrepida e audace, o almeno sorprendente, come di sicuro aveva sperato mia madre. Alle elementari avevo composto una serie di poesie sulla primavera e un racconto con protagoniste due foglie secche, tradendo un certo sguardo, una facilità di parola e un eccesso di immaginazione adatti a una poetessa o piú in generale a una scrittrice, e allora lei mi aveva raccontato di Karen Blixen in Africa, di come aveva vissuto da sola, mandando avanti una piantagione di caffè ai piedi delle colline NGong, vicino a Nairobi, e di come anche la Duras avesse provato ad avere delle coltivazioni in Cocincina, cosa che mi aveva fatto credere per un po' che essere scrittrice significasse prima di tutto spaccarsi la schiena in una piantagione; e ancora di come il marito di Agatha Christie l'avesse abbandonata e a quel punto lei fosse diventata una grandissima giallista; insomma la mamma mi aveva detto che le scrittrici erano quasi sempre donne molto indipendenti, abitavano in case meravigliose e giravano il mondo.

Allora io avevo subito smesso, e il mio sacro fuoco artistico aveva preso a bruciare rapido e insensato in altre forme – musica, pittura, scultura con la creta – e per troppo poco tempo perché mia madre potesse conservare intatta la sua fiducia nel mio talento. E cosí aveva optato per una visione piú astratta, di ampio raggio, per abbracciare infine il desiderio generico, ma non per questo meno intenso, che un giorno avrei avuto almeno il coraggio di andarmene da Bocca di Magra.

La destinazione non era poi cosí importante, i suoi atlanti erano chiari in proposito, c'era un'infinità di posti sparsi lungo le diverse latitudini e longitudini. Mi aveva raccontato di avventuriere ed esploratrici, di Jeanne Baret che per prima aveva fatto il giro del mondo travestita da uomo, di Amelia Earhart col suo biplano da sola sull'Atlantico, e da un certo punto in poi aveva preso ad attaccare dei minuscoli biglietti sulle cose. Sulla porta ci aveva messo *door*, su ogni sedia *chair*, sul tavolo *table*, lungo gli infissi delle finestre *window*, e nel cassetto della cucina per un periodo c'erano *knives*, *forks* e *spoons*, in modo che io sapessi come si chiamavano gli oggetti anche dall'altra parte del mondo. Ma io li nominavo senza convinzione e alla fine non avevo mai mostrato, a differenza di lei, alcuna propensione per il viaggio o la fuga. Il moto ondoso in aumento della sua canzone proprio non mi apparteneva.

Mia nonna scartò un re e chiuse. Mia madre disse che non aveva visto una sola pinella. E a quel punto si alzarono, misero via tutto e le vidi andare verso la finestra.

– Bello, – disse la mamma. – Senti che vento.

– Mi verrà il mal di testa, – concluse la nonna.

E io pensai, no, non c'entro niente con loro. Sono diversa. Sono come mio padre.

Mi rifugiavo nel suo ricordo. Era lacunoso, impreciso, distante e proprio per questo perfetto. Mio padre mi proteggeva.

Quando mi portava con sé in motorino, da piccola, costruiva sempre uno strato di giornali da infilarmi sotto la maglia. Quei fogli sovrapposti erano fastidiosi, a volte un angolo della carta picchiava contro la pelle o un pezzo mi sfregava e mi faceva prudere, e la rigidità di quell'imballaggio mi faceva sentire costretta. Eppure ogni volta, quando lui si metteva a scegliere i giornali e certi pezzi di cartone piú spesso, io lo guardavo rapita perché quello scudo prometteva di difendermi dalla velocità, dal freddo, persino dal suo stesso corpo, nel caso ci fosse stata una frenata improvvisa. Uno scudo proteggitutto.

Mio padre era piú semplice, ecco. Di questo ero convinta. E credeva nelle cause accidentali, nei fattori esterni.

Diceva, stai attenta alla strada, c'è freddo, copriti, è troppo alto, scendi. Credeva nell'umidità che causava i malanni, nelle radici che sbucavano e ti potevano fare inciampare, nelle auto veloci, credeva nei pericoli. E io gliene ero grata, perché se qualcosa di brutto mi fosse accaduto, sarebbe stata colpa delle circostanze e non mia.

La mamma e la nonna no, per loro si trattava soltanto di carattere. Era tutta una questione di carattere.

Le donne della casa si portavano dentro una complicanza, un dissenso che rendeva la loro esistenza carica di attrito, come se dovessero andare sempre controcorrente, anche quando stiravano una camicia o scolavano la pasta.

Avevo meno coraggio, io. Meno determinazione.

E volevo credere nelle ragioni esterne e nelle cause di forza maggiore.

Come quel temporale.

Due

Quella notte iniziò a piovere presto, e per un po' continuò sempre uguale. L'acqua cadeva sulla tettoia della rimessa che era di lamiera e a me sembrava di distinguerne ogni singola goccia.

Era l'inizio di ottobre, ma faceva ancora caldo e cosí, anche se le persiane erano accostate, tenevo i vetri aperti. Il mio abito da sposa ondeggiava.

Verso le tre del mattino iniziò a tirare il libeccio e la pioggia si trasformò, divenne un muro d'acqua, duro e verticale, attraverso cui gli alberi delle barche attraccate si distinguevano a fatica e la riva opposta del fiume scompariva.

Dalla strada cominciarono ad arrivare le voci di chi fissava gli ormeggi, gridavano e si capiva che sarebbe successo il peggio.

Sentii la mamma che si alzava e fermava le persiane per vedere cosa stesse accadendo. Poi, quasi subito, entrò in camera mia. Restammo in silenzio e chiudemmo i vetri per poter lasciare le imposte aperte e guardare.

Il tempo tra il lampo dei fulmini e lo schianto del tuono si accorciava. Dopo qualche minuto comparve la nonna, ma anche lei si limitò a mettersi accanto a noi, guardando fuori senza parlare.

La luce andò via quasi subito.

– Agata, Cè, dobbiamo portare su la roba.

Cominciammo a cercare le candele – tenevamo sempre dei mozziconi sui comodini, proprio per quella frequenza di sbalzi elettrici che pativa la nostra casa.

22

Ci spostammo da una stanza all'altra per organizzare la luce e finalmente le pareti cominciarono a risplendere di un chiarore ondivago, dentro cui per un momento mi parve di perdermi.

– Smettila d'imbambolarti, – disse la nonna.

Prendemmo a fare su e giú per le scale con l'attaccapanni, certe ceste, la maggior parte dei libri che tenevamo sulle mensole del salotto, gli elettrodomestici, il televisore e la radio, il ventilatore.

Non era semplice, la mamma aveva trovato due torce e con quelle cercavamo gli oggetti, che nella luce direzionale e breve della pila si manifestavano di colpo e sembravano sempre un po' diversi da come ce li ricordavamo. Il pianterreno era piú scuro delle camere da letto, e ogni volta che dal piano di sopra scendevamo nell'androne o in cucina, era come calarsi in una pozza di buio, un nero gessoso che aveva l'effetto di rendere i nostri gesti piú lenti.

– Anche il fornello elettrico, – disse la nonna. – E il microonde.

E noi eseguivamo, intanto che lei stilava un altro dei suoi elenchi. Si trattava di una lista di sopravvivenza, calibrata anche secondo il peso specifico delle cose. Era ovvio che il frigo sarebbe stato da salvare, ma era impossibile sollevarlo, e cosí la nonna decise di prendere la borsa termica e di infilare lí dentro tutti gli alimenti.

– E la mia tavola per fare la pasta e il mattarello, – gridava da sopra.

La mamma prese le vedute del monte Fuji.

Erano delle stampe tratte dal volume di Hokusai, che lei e papà avevano comprato nel loro viaggio piú importante. Erano stati via un mese e avevano visitato il Giappone, la Cina e il Nepal.

Di quel viaggio la mamma ogni volta diceva che la cosa piú bella era il Nepal e che il Giappone non l'aveva capito. E da come lo diceva si sentiva che le dispiaceva moltissimo di non aver capito il Giappone, e questa cosa gettava un'ombra anche sul resto del viaggio, una specie di rimpianto che non le permetteva di avere un ricordo del tutto felice.

Quello era stato anche l'ultimo viaggio che lei e mio padre avevano fatto insieme e cosí adesso, pensavo, quando diceva che non aveva capito il Giappone, era come dire che non aveva capito che mio padre si sarebbe ammalato, che di tempo ce n'era rimasto poco.

E perciò quelle stampe – *Il Fuji passando dalla cascata, Il Fuji lontano attraverso la ragnatela, Il Fuji coperto da fitta nebbia montana, Il Fuji dalla piana di Musashi* e *Il Fuji del finale con un colpo di pennello* –, alla fine per me diventavano tutte *Il Fuji con mia madre che non aveva capito il Giappone.*

La nonna ci disse di prendere anche la sua riproduzione di Monet, *I papaveri.* Ma per qualche ragione ce ne dimenticammo, e lei nelle ore successive ce lo rinfacciò di continuo. Avevamo salvato quello stupido monte giapponese e non avevamo preso il suo Monet, accidenti a noi.

Ormai il piano di sopra era ingombro di ogni cosa che ci fosse sembrata da salvare. I cd dell'opera e l'apparecchio per ascoltarli, e il quadro di Galileo Galilei che spiegava la sua nuova teoria dei pianeti ai Medici, e il tostapane e la scacchiera in quarzo rosa con tutti gli scacchi.

La scatola della nonna la presi io.

Doveva essere infilata nei piani piú bassi della libreria, quelli che avevamo cercato di svuotare completamente perché piú a rischio. Si trattava di un cofanetto di latta che era rimasto nascosto da certi vocabolari. Fu da quella scatola che la sera seguente sarebbe spuntata la fotografia.

Accatastammo ogni cosa sul ballatoio tra le camere e, quando finimmo, il pianerottolo aveva uno strano aspetto a metà tra la banchina di un porto e l'accampamento di un esploratore.

Intanto la nonna si era seduta a lato del microonde e ci appoggiava un gomito sopra, tipo davanzale. Aveva l'aria tesa e pensierosa. Probabilmente stava ragionando se ci fosse ancora qualcosa di urgente da fare. La mamma e io eravamo soprattutto stanche.

Dietro casa, la porta della rimessa aveva ripreso a sbattere a intervalli regolari, segno che il lavoro del pomeriggio era stato inutile, ma non potevamo piú andare a fermarla perché il terreno si stava allagando, e uscire era troppo pericoloso.

I lampeggianti dei mezzi di soccorso rompevano il buio con improvvisi squarci, allora riuscivamo a vedere che l'acqua si era fatta granulosa da tanto che era fitta, e non cadeva piú, ma crollava sulle cose, facendole piegare e ondeggiare e rovesciare. Piante, teli plastificati, bacinelle, tavoli e sedie sprofondavano sotto il frastuono del temporale.

Il mare si era alzato, dal fondo del paese proveniva un rumore sordo e gonfio, segno che le onde non permettevano piú al fiume di sfogarsi alla foce. Le correnti si sarebbero scontrate, formando mulinelli e vortici.

La nonna all'improvviso disse: – I regali.

Nessuna delle tre ci aveva pensato. Li avevamo sistemati man mano che arrivavano a casa su una fratina in salotto, cosí, quando la gente veniva a farmi gli auguri, li poteva vedere. Era una cosa un po' strana, i vassoi, certe tovaglie, un vaso di cristallo, una lampada da tavolo, una pentola a pressione, delle posate in acciaio inox e un candelabro, tutti in fila, come se contenessero già i gesti che avrebbero prodotto negli anni a venire. Lo avevano fatto tutte le mie amiche quando si erano sposate e cosí avevo provato a farlo anch'io.

Quando la nonna disse, *i regali*, per un attimo cercai di guardare l'espressione di mia madre e mi domandai se lo avessimo fatto apposta, se non avessimo trascurato di salvare i miei regali di nozze intenzionalmente, ogni volta che eravamo scese in salotto a prendere il resto. La mamma sembrava indifferente, calma. Forse era semplicemente ignara.

Continuavo ad attribuirle dei poteri, come si fa quando si è piccoli e si pensa che i genitori possano conoscere tutto di noi, persino ciò che pensiamo. E cosí anche adesso ero convinta che lei sapesse cosa mi era accaduto.

Sapesse dei viali alberati, dell'odore del pitosforo quando fiorisce, forte da stordirti; di certe finestre, e dei bicchieri di cristallo blu. Che sapesse della piazza che avevo attraversato a metà maggio, e dell'effetto che fa attraversare una piazza in diagonale. Di tutti i treni che passano di notte e delle case vuote. E di Pietro.

Tre

Quando ero stata promossa alle medie, mia madre mi aveva regalato la macchina fotografica di papà. Un'Olympia con tanto di obbiettivi, zoom, grandangolo e col rullino, che dovevi portarlo a sviluppare.

L'aveva avvolta in una carta rossa e mi aveva detto, magari poi da grande diventi una fotografa, e io, forse perché arrivava da papà, per un po' non avevo fatto altro. Appena tornavo a casa da scuola, subito dopo pranzo, mi mettevo al collo la mia Olympia e uscivo. Mi piaceva fotografare i sassi lungo il fiume, lo scheletro verde dei ricci che aveva traiettorie perfette, le cime che si trovavano sulla spiaggia, incrostate di catrame, o i pertugi tra gli scogli, con l'acqua blu in fondo e i pomodori di mare.

Arrivavo ogni volta fino alla Casabianca, subito dopo la foce, sulla scogliera. Era l'unica costruzione tanto vicina al mare ed era dei preti – cosí mi aveva detto la mamma –, che però la occupavano soltanto per un mese all'anno, quando arrivavano i ragazzi in colonia. L'acqua ogni inverno strappava le tettoie di cannicci, staccava l'intonaco, mangiava i cardini delle porte e delle finestre, e allora verso la fine di luglio scendevano degli uomini dal convento di Montemarcello per rimetterla a posto.

Ma per il resto dell'anno la Casabianca era mia, o almeno cosí mi piaceva pensare. Scavalcavo la rete ed entravo da una porticina laterale che sapevo difettosa. Le stanze erano grandi e spoglie, abitate da lucertole e uccelli. Rimanevo per un po' lí dentro, mi sedevo sulle intelaiature dei letti – i materassi li toglievano sempre a settembre –, e scattavo delle foto alle crepe che correvano lungo le pareti, alle mattonelle che si spaccavano negli angoli, alle ombre che i pini proiettavano nei vetri delle finestre e al riflesso del mare sul soffitto.

Mi piaceva soprattutto questo, della Casabianca, che era così vuota, e l'aria e il sole o anche la pioggia, quando veniva forte e di traverso, sembravano percorrerla, modificarne le superfici.

Un giorno – pensavo – ci verrò ad abitare. Quando sarò una fotografa famosa, offrirò ai preti una cifra che non potranno rifiutare e la Casabianca sarà mia per sempre, con le sue stanze infinite. Ci porterò un letto, una cassapanca e la mia scrivania.

Nessuno sapeva che ci andavo. Era il mio segreto, l'unico che avevo allora. E poi portavo a sviluppare i rullini e mi piacevano quelle immagini di cose imprendibili – ombre, aloni e riverberi, le macchie di sole sul muro –, duravano un attimo, forse neppure esistevano, e il solo modo per afferrarle era scattare una fotografia, poi cambiava la luce e tutto spariva di nuovo.

Una mattina la nonna le aveva buttate via tutte, le foto.

Non lo aveva fatto apposta, se l'era trovate in mezzo mettendo a posto la mia camera mentre ero a scuola e semplicemente aveva pensato fossero sbagliate, errori che io avevo scartato. C'era rimasta malissimo quando aveva capito.

– Scusate, ma insomma non si vedeva niente... cioè non è che ci fosse qualcuno, sai come le foto che si fanno, la gente che sorride, che ne so... un bel tramonto... era tutto scuro, dei muri, della terra, non si capiva.

– Potevi chiederlo, – le aveva detto la mamma, ma poi aveva smesso quasi subito perché si vedeva che la nonna era mortificata.

Io non avevo detto niente. La macchina fotografica non l'avevo più usata e un paio di anni dopo, alla fine del liceo, avevo conosciuto Giacomo.

Giacomo alla nonna non piaceva granché, soprattutto quando lui la trattava con quel riguardo misto a condiscendenza che si riserva alle persone anziane.

In ogni caso, quando avevo cominciato a portarlo a casa, per una volta la nonna aveva cercato di non pronunciarsi sul suo conto. Si limitava a smorfie e leggere increspature delle labbra, niente di cosí definitivo in fondo. E poi Giacomo stava studiando per diventare medico e questo tutto sommato lo doveva trovare un punto a suo favore. In futuro prometteva di potersi occupare di lei, di renderle piú semplice la prescrizione di certi farmaci, di sollevarla dalle code nella sala d'attesa del dottore di famiglia, che lei non poteva sopportare, né le code, né il dottore.

La mamma, invece, quando aveva conosciuto Giacomo gli aveva offerto un caffè, dei cioccolatini e subito dopo era scomparsa in camera sua. E io sapevo già che avrebbe passato la serata a incrociare latitudini e longitudini e fissare posti remoti sulle carte.

In Giacomo, nel suo modo tranquillo ma volenteroso di amare, in quella specie di fermezza sentimentale che trapelava da ogni suo gesto, la mamma doveva aver percepito il dileguarsi definitivo delle proprie speranze.

Non sarei mai partita, mai avrei avuto una vita sorprendente, non avevano funzionato Karen Blixen né Agatha Christie in viaggio per Baghdad o Jeanne Baret col suo abito da uomo per girare il mondo.

E neppure la macchina fotografica di papà aveva funzionato.

Giacomo aveva dalla sua una certa stabilità, come quelle sostanze chimiche che difficilmente reagiscono, stabiliscono legami fissi e tendono a non passare inavvertitamente da uno stato all'altro.

A me piaceva perché sapeva sempre cosa voleva. All'università dava un esame dopo l'altro e aveva cominciato anche le ore di tirocinio. In pronto soccorso, anche se lo sapevano tutti che era il reparto peggiore, ma lui aveva questa capacità di decidere velocemente, manteneva il sangue freddo e – mi aveva detto una volta – alle emergenze non ci voleva stare nessuno e perciò lui aveva scelto proprio quello.

Abituata alle intermittenze della mamma, alla manifestazione di forze opposte e contrarie nella nonna, io cominciavo a credere che niente di piú dolce potesse accadermi. E a proposito di emergenze, mi ero convinta che Giacomo avrebbe saputo affrontare anche quelle della mia vita, quegli imprevisti che tanto mi terrorizzavano e da cui una volta mi proteggeva mio padre, ma che poi ero rimasta ad affrontare piú o meno da sola, perché la mamma e la nonna avevano un modo tutto speciale di considerarle. Per loro si trattava piú che altro di opportunità, occasioni, nel peggiore dei casi di sfide che ti facevano crescere. E cosí in buona sostanza non pensavano ci fosse proprio niente da proteggere.

Giacomo sembrava in grado di amarmi anche se non ero coraggiosa e non compivo imprese straordinarie.

Quando la nonna aveva gettato le mie foto – adesso lo sapevo con certezza –, mi ero sentita piú serena. Non c'era piú neanche bisogno che diventassi una fotografa, i miei scatti non convincevano, non avevo mestiere, e cosí la Olympia era sparita da qualche parte, in un cassetto o in fondo a un mobile, non avevo neppure sviluppato l'ultimo rullino.

Mi ero laureata in Storia dell'arte, avevo seguito un master per la curatela di mostre, fatto un tirocinio in due gallerie, ma poi mi ero indirizzata verso l'insegnamento, e adesso, a ventotto anni appena compiuti, stavo studiando per l'abilitazione. Se le cose fossero andate come previsto, nel giro di qualche anno sarei entrata di ruolo, e quando, pochi mesi prima, Giacomo si era inginocchiato su un molo vicino al mare e mi aveva detto, sposiamoci, io non avevo trovato un solo motivo per non accettare.

Era il gennaio del Duemila, e per via del cambio di secolo tutto sembrava avere piú importanza, noi stavamo insieme da nove anni, ci volevamo bene, avevamo amici che si stavano sposando o l'avrebbero fatto di lí a poco, la mia esistenza prometteva di essere finalmente al sicuro. Nessuna piantagione, nessuna diga da costruire, dovevamo soltanto trovare una casa.

– Ho un amico che ha un'agenzia, – aveva detto Giacomo. – Ci farà vedere degli appartamenti.

Il suo amico si chiamava Pietro.

Sorrideva e diceva, qui potreste metterci un divano grande, qui potreste farci lo studio, qui accendere il camino. E a quel punto capitava una cosa strana. Pietro parlava e a me sembrava di avere a disposizione un'infinità di variabili possibili. Ogni casa conteneva una vita appena un po' diversa dalla precedente, e io non ero piú cosí sicura di quale volessi scegliere.

Trovavo qualche difetto alla casa, chiedevo di vederne altre.

Era il mese di marzo e all'estate sembrava mancare ancora moltissimo.

Attraversavamo androni, prendevamo ascensori, aspettavamo alle spalle di Pietro che lui trovasse la chiave e aprisse la porta e poi entravamo al buio. Non c'era mai la corrente attaccata negli appartamenti in vendita o in affitto, e a me piaceva quell'attesa scura.

Avevo cominciato ad affezionarmi all'attesa.

Adesso che alcune cose sarebbero comunque accadute, adesso che mi sentivo sul punto di assumere una forma definitiva, mi trovavo a indugiare. Sentivo crescere un improvviso desiderio di rimandare, di restare ancora in quella zona intermedia e brumosa in cui niente riusciva ad avere una struttura certa. Come nella penombra degli appartamenti.

Poi Pietro faceva scattare l'interruttore.

31

Aveva gli occhi di un verde ossidato simile a quello delle intemperie o del fondo del fiume. E ti guardava sempre. Una volta mi passò accanto per cercare il quadro elettrico e nel buio mi sfiorò la mano. Io chiesi di vedere altri appartamenti.

– Mi fido, – diceva Giacomo, – vai tu e poi, se te ne piace qualcuno, allora vengo.

Ricordo che mi sentivo stranamente felice all'idea di visitare nuove case, cambiare quartieri, vedere anche posti che non avevamo preso in considerazione, perché troppo lontani o piú grandi del necessario. Il pensiero di dove saremmo andati a vivere stava come ritirandosi. Non me ne accorsi subito, ma ormai, quando salivo le scale o entravo nelle stanze, dimenticavo la ragione per cui lo stavo facendo. Mi piaceva farlo e basta.

E intanto le giornate cominciavano ad allungarsi e a diventare piú calde. Ricordo soprattutto il sole, e quei giardini odorosi d'erba che attraversavo con Pietro.

– Non ce n'è neppure una che ti piace piú delle altre? – mi domandava Giacomo. E allora sceglievo un appartamento a caso e ci andavamo insieme, ma subito dopo trovavo qualcosa che non funzionava.

E il balcone è troppo piccolo, e non c'è un vero sfogo esterno, e sta al primo piano, e hai visto i vicini? E come facciamo senza garage? Ma davvero ti piaceva com'era diviso dentro?

Un pomeriggio Pietro mi disse, c'è una casa bellissima, la vuoi vedere?

Mentre salivamo con l'auto guardavo fuori e pensavo che in quel posto non avrei mai davvero potuto comprarci una casa, perché si trattava di quelle costruzioni grandi e troppo costose arrampicate sul costone di Montemarcello. Dal finestrino aperto entrava l'aria di aprile, carica di profumi selvatici e salsedine, e la strada si apriva di colpo su schegge di blu e a ogni tornante la macchia si faceva piú fitta e maggiore il silenzio. Bocca di Magra da lí sembrava lontana, sprofondata dentro la pianura. Marina di Carrara e la costa dall'altra parte neppure riuscivano davvero a esistere.

Mi piaceva che Pietro mi stesse portando a vedere una casa cosí, era come se dicesse, è tutto possibile, non ci sono limiti, mi sembrava di tornare a quando credevo che prima o poi avrei abitato nella Casabianca. Quel giorno, mentre superavamo un'altra curva, Pietro mi stava regalando una nuova versione di me, moltiplicava il mio spazio. Metrature infinite e panorami inaspettati.

Prendemmo una strada sterrata che s'inoltrava nel bosco. Lui aprí un cancello e scivolammo con l'auto lungo una discesa di cemento ripida e sconnessa.

Quando uscii, per un attimo l'odore di resina e aghi di pino mi stordí tanto era forte. In fondo, tra gli ultimi rami, si vedeva fremere il mare.

Pietro mi disse, vieni, e io lo seguii giú per una scalinata, un viottolo e uno spiazzo in pendenza. Finché non comparve la casa, di un rosso mattone, bassa e nascosta tra gli alberi, circondata su un lato da un uliveto e per il resto immersa nella pineta.

Dentro le stanze non smetteva l'odore del bosco e nella penombra si indovinava il profilo dei mobili coperti con grandi lenzuoli bianchi. Si sollevavano appena quando ci passavamo accanto.

– Non è bellissima?

– Lo è, – risposi.

– Vieni che apriamo le finestre.

Il sole entrò tutto in una volta, si sparse sul pavimento come si sparge l'acqua, a fiotti, e io restai a guardare le macchie di luce che via via s'impadronivano della stanza.

A quel punto Pietro prese quasi a correre, si spostava da un vano al successivo e mi diceva, qui c'è la cucina e qui il salone e qui il disimpegno e poi prese la scala e andò al piano di sopra e sembrava che le camere non dovessero mai finire e neppure le finestre che lui spalancava una dietro l'altra con una specie di euforia. Io gli andavo dietro e vedevo sbucare il sole, uno stralcio di selva, un pezzo di cielo e da tutte le parti il mare, in fondo, alla fine di tutte le cose, di un azzurro abbacinante a quell'ora del giorno.

A un tratto Pietro mi venne vicino e mi guardò per un tempo lunghissimo. Sorrise e disse: – Ecco, è qui che vorrei tu abitassi.

Fu un momento, il suo corpo quasi toccò il mio, lo spazio tra di noi si annullò e, senza smettere di guardarmi, mi prese la mano. Io sussurrai: – Dobbiamo andare, è tardi, – mi voltai e cominciai a camminare. Risalimmo la strada in fretta, in silenzio, io leggermente piú avanti, lui che mi seguiva. Sentivo dappertutto l'odore smisurato della resina.

Quattro

Le onde hanno un ventre e una cresta.

Le piú ripide tendono ad assumere una forma trocoidale, poco simmetrica. All'inizio è soprattutto una questione di forze.

Mentre l'acqua cerca di tornare al punto di equilibrio, la forza del vento e la forza di gravità, opposte, hanno sull'onda l'effetto di farla sforare, sicché la cresta continua a sprofondare mutandosi in ventre e il ventre ogni volta risale, mutandosi in cresta.

Un movimento continuo, rotondo e pauroso, un movimento che si gonfia in una schiuma sempre piú confusa sotto le scariche elettriche del temporale.

E il mare notturno inizia a ribollire, si appiattisce, diventa effervescente. Nell'acqua si creano come dei passaggi, cavità, angoli e pendenze che si propagano, alterando la tensione superficiale, fino a romperla.

Abbiamo appena portato su tutta la roba. I libri, il forno a microonde, la radio, le stampe del Fuji, il quadro di Galileo Galilei, stiamo riprendendo fiato, e la nonna è in procinto di dire, *i regali*. E proprio l'attimo prima – o comunque è questo che immagino –, nel momento in cui sta ancora pensando se ci siamo dimenticate qualcosa, ecco, un'onda piú violenta delle altre prende a formarsi appena al largo della nostra costa.

La nonna dice: – I regali.

E io penso alla piazza, al modo di attraversarla a metà

maggio e in diagonale. Alla casa di Montemarcello, a quella di Pietrasanta, e a tutte le altre.

L'onda adesso è piú alta, impossibile fermarla, il movimento subacqueo monta, s'infila nel letto del fiume, inverte direzione e flusso; sul fondale il fango si solleva, prende a vorticare, strappa i barbagli verdi della mucillagine e sradica gli steli del bambú.

Noi ci avviciniamo alla scala e gli spostamenti dell'acqua si fanno spessi, l'onda sale ancora, si mangia le sporgenze della terra lungo gli argini, scuote il legno dei pali, tende le cime, e tutto tira, si allunga, si lacera, come se le direzioni nell'aria si fossero moltiplicate all'infinito e ogni raffica o corrente s'inventasse un nuovo senso verso cui trascinare gli elementi. E poi il boato.

Fu un rumore profondo, uno schianto che fece tremare l'aria intorno e i vetri delle finestre, e dopo ci fu come una pozza di silenzio, e allora si sentirono le grida. Facemmo appena in tempo a vedere gli uomini della protezione civile e quelli che stavano fissando le barche scappare. Andavano dappertutto, verso la strada che saliva dietro la casa e restava piú alta, in fondo al paese, e noi non riuscivamo a capire. Dopo, ci fu solo acqua.

Un'acqua melmosa, tutta insieme. Oltre i pontili e i muri, oltre gli appezzamenti d'erba che limitavano il fiume, oltre la piattaforma del benzinaio e la strada, oltre i cancelli, i viali, i marciapiedi, solo acqua. Usciva dal greto del fiume e correva veloce, un attimo prima non c'era e l'attimo dopo era là. Aveva qualcosa di improvviso e forte. Quello soprattutto ricordo, la velocità. Era acqua sporca e velocissima.

Noi non dicevamo niente, la fissavamo. Ci eravamo avvicinate l'una all'altra, i fianchi che si toccavano, le mani dorso contro dorso, come se quella prossimità di ossa e pelle ci tenesse al sicuro, come se in quel modo credessimo che l'acqua non s'accorgesse di noi e andasse oltre.

La paura era una cosa strana, dura, ficcata in fondo, in un punto profondissimo, e noi potevamo soltanto stare cosí, ferme, in silenzio.

Il vento continuava ad alzarsi, i tuoni si facevano piú ravvicinati e fu allora che sentimmo qualcuno urlare, il ponte, il ponte. Guardammo da quella parte, e nell'aria illuminata a giorno dalle saette scoprimmo che il ponte non c'era piú. Restavano due pezzi di strada a mezz'aria, che si interrompevano come se qualcuno li avesse morsi.

La notte fu lunga, un blocco unico di buio, finché al mattino smise di piovere e l'aria si fermò di colpo. Non c'era piú un alito di vento. Gli alberi rimasero immobili in mezzo all'acqua, privi di colore.

Tutto ci apparve come esangue nell'alba, un grigiore pallido attraversava le forme e le impregnava. Solo il fiume si distingueva. Spiccava rugginoso e turbolento, nella tonalità del cemento, della terra, come se il colore delle cose intorno si fosse sciolto nella corrente e le avesse dato un aspetto quasi solido.

Cominciarono ad arrivare gli elicotteri. Volavano sopra le case, li guardavamo ondeggiare sulla nostra testa con quella oscillazione da insetto, e a parte il rumore delle eliche e il rumore del fiume non si sentiva niente. Non c'erano piú suoni, neppure le voci della gente.

Al piano di sotto l'acqua era arrivata alle finestre, immaginammo che avesse coperto il divano, che lambisse il frigo, sollevasse bacinelle e tappeti. Il tavolo di legno leggero che avevamo sotto il pergolato, lo vedemmo galleggiare fuori per un po' in giardino, incastrato tra il noce e il pozzo. Poi, forse per un cambio di corrente, scivolò via verso il Magra e noi restammo a fissarlo dalla finestra mentre si allontanava con le gambe in alto.

Le sedie e i fogli di giornale e le tazze di plastica che avevamo lasciato nell'asciugapiatti avevano trovato una via d'uscita ed erano finiti sulla strada. Forse l'acqua aveva rotto i vetri delle finestre, o magari aperto la porta. La luce non c'era e quelli che intanto arrivavano coi gommoni dissero di non bere dal rubinetto per nessuna ragione.

Sulla superficie del fiume scendevano enormi tronchi d'albero e pezzi di barche. Le piú grandi a vela si appoggiavano sul fianco e venivano trascinate dalla corrente finché non trovavano un pezzo di muro a fermarle. Una si appoggiò sul lato di una casa, un'altra andò a sbattere contro un platano.

Lasciammo la finestra e andammo fino alle scale. Guardammo giú senza avere il coraggio di scendere. Gli ultimi scalini sprofondavano in una distesa piatta, lucida e marrone, che sciabordava appena.

– Noi resteremo qui, – disse a un tratto la nonna.

– Cosa?

– Non voglio abbandonare la casa. Ci organizzeremo. Quelli della protezione ci diranno di andare via, ma noi non lo faremo. Ci faremo portare l'acqua.

Parlava guardando in basso, verso quello che restava del piano di sotto, aveva un tono duro e risoluto, e a me parve davvero assurdo. Erano anni, da quando stava con noi, che non faceva che ripetere di volersene andare e adesso che sarebbe stata la cosa piú logica, sembrava decisa a impuntarsi.

Mia madre e io eravamo frastornate. Lungo la strada, nelle abitazioni piú basse della nostra, alcuni erano saliti sui balconi, i gommoni si avvicinavano e i pompieri li aiutavano a salire a bordo. In seguito venimmo a sapere che la maggior parte degli abitanti di Bocca di Magra, impossibilitati a restare in casa, li avevano portati nel palazzetto dello sport a Marina di Carrara.

Qualcuno ci chiamò dalla strada.

– Forza, – disse la nonna.

Raggiungemmo la finestra. Un tizio con un giubbotto di salvataggio arancione ci disse che tutte le case vicino al ponte erano state sommerse. La situazione sembrava comunque sotto controllo. Il ponte fortunatamente l'avevano chiuso appena prima che crollasse e cosí non c'erano dispersi e nessun morto, ma stavano portando via quelli alluvionati. Qualcuno ancora aspettava sui tetti. E noi come stavamo?

Sentii mia madre rispondergli che era tutto a posto. Che ci serviva soltanto un po' di acqua potabile, e che no, non avremmo lasciato la casa, non c'era bisogno.

Continuavo a non capire. Al piano di sotto sciabordavano almeno sessanta centimetri d'acqua e non avevamo la luce. Il tipo della protezione disse che l'allerta era rientrata, che nel giro di qualche ora il livello del fiume sarebbe sceso e che in effetti loro procedevano in base alla gravità delle situazioni. Non eravamo in pericolo, e se non c'erano bambini o persone anziane, ci avrebbero portato viveri e le taniche di acqua potabile e ci avrebbero lasciato dov'eravamo.

Guardai mia nonna. Lei si affacciò e disse: – Nessun vecchio. Non c'è nessun vecchio qui.

L'uomo della protezione sembrò non capire, ma aveva fretta, c'erano persone che stavano gridando in fondo alla strada e perciò fece segno al collega che manovrava il motore e si allontanarono, lasciando una scia di schiuma sulla superficie lacustre del nostro giardino.

– Che intenzioni avete esattamente?

– Nessuna, – mi rispose la mamma con quell'aria elusiva che a volte assumeva quando voleva fare di testa propria, poi andò in camera e prese a tirare su il letto. Non credevo ai miei occhi. Stava rimboccando le lenzuola.

– Dobbiamo andarcene da qui.

– Hai sentito, no? Ci sono situazioni piú gravi.

– La nostra è abbastanza grave, direi. E tu, nonna, tu *sei* anziana.

– Io di qui non mi muovo, se lo possono scordare.

– Smettila di rifare il letto, mamma. Vi prego, ragionate.

– Faresti bene anche tu a sistemare il tuo, che poi dobbiamo pensare al resto.

– Tua madre ha ragione, Agata. Forza, finiscila di lamentarti e datti da fare. Dobbiamo anche mangiare, neanche abbiamo fatto colazione. Vediamo cos'abbiamo portato su ieri notte.

La casa appariva oscura e madida, il ballatoio che stava in mezzo alle camere e che non aveva finestre tratteneva il buio, adesso. Le candele le avevamo consumate completamente e rimanevano solo i mozziconi.

– C'è del prosciutto, del salame e un po' di pane. Possiamo fare un'insalata, fortuna l'avevo lavata ieri, – disse la nonna. – Manca l'aceto, vi siete dimenticate l'aceto –. Frugava nei sacchetti e nei contenitori che avevamo portato su la sera prima. – Dammi una mano, Agata. Mica vorrai stare cosí tutto il tempo?

La mamma intanto nell'altra stanza sprimacciava i cuscini. *Davvero* stava sprimacciando i cuscini.

Capii che non ce ne saremmo andate. Avrebbero accettato l'acqua potabile e i viveri, con un atteggiamento che agli uomini della protezione civile sarebbe sembrato sufficiente, distaccato, e invece era qualcosa di piú complesso. Si trattava di uno speciale riserbo e dell'abitudine a cavarsela da sole. C'era anche il timore di disturbare e l'orgoglio, il coraggio, la paura di perdere qualcosa, la consapevolezza di essere sole e fragili e la decisione di non ammetterlo mai. Di diffidenza, si trattava, e di autonomia e di una forma molto speciale di femminilità.

– Ecco, magari mettiamo una tovaglia sulla tua scrivania. Porta qui la scrivania Agata, che apparecchiamo, – disse la nonna.

Guardai ancora un momento fuori dalla finestra. Avevano fatto salire i nostri vicini su una barca. La signora Nitti era avvolta in una coperta grigia e anche da lontano riuscivo a immaginare che stesse tremando.

Andai in camera, spostai i libri su una mensola e aprii il cassetto. Dentro c'erano le chiavi della casa dove saremmo andati ad abitare io e Giacomo.

Alla fine l'avevamo trovata. In un palazzo vicino alla tenuta di Marinella, una zona agricola, con coltivazioni lunghe di grano, fave e cavolo cappuccio. Invasa dalle paludi, a inizio secolo l'avevano bonificata.

La casa aveva due camere, i doppi servizi, una cucina, un salotto, due terrazzi non grandi ma sufficienti a ospitare un tavolino per mangiare fuori d'estate. Attraversavi la strada e c'erano gli stabilimenti balneari, e dall'altro lato il paese col supermercato.

– È perfetta, – aveva detto Giacomo. – Non è perfetta?

L'avevamo presa. C'erano dei lavori da fare prima che potessimo entrarci.

– Tanto ci sposiamo a ottobre, – avevo detto a Giacomo.

Dopo la firma del contratto, Giacomo mi aveva fatto il duplicato delle chiavi. Lo avevo messo nel cassetto della scrivania e ogni volta che andavo alla casa, chissà perché, le dimenticavo e dovevo aspettare che arrivasse lui e aprisse. Mi diceva: – Ma ti ho fatto la tua copia.

Sorridevo e alzavo le spalle. I lavori proseguivano, ogni tanto andavamo a controllare. Da sola non c'ero mai entrata nell'appartamento di Marinella.

Presi le chiavi, le tolsi dal cassetto e le spostai nello schedario che avevo ai piedi del letto.

Quindi trascinai la scrivania e la piazzai al centro del ballatoio.

La nonna stese la tovaglia, mia madre prese il rotolo in velluto delle posate d'argento. Si era ricordata di portarlo su la sera prima, perché erano della nonna e lei ci teneva. A cose normali quelle posate non le usavamo, ma ogni tanto in primavera la nonna decideva di pulirle. Sfregavamo le superfici fino a farle brillare con i panni che diventavano sempre piú neri e la sala si riempiva dell'odore pungente di Argentil.

Adesso erano le uniche che ci erano rimaste. Vidi che la mamma appoggiava accanto al piatto due forchette.

La nonna disse che ne bastava una perché tanto la pietanza non c'era.

Sistemammo le sedie e ci mettemmo a mangiare.

La nonna tagliava il salame e distribuiva le fette e poi disse: – Sembra di essere in guerra.

Non parlava mai della guerra e cosí la guardai e le domandai perché, com'era in guerra, e lei mi rispose cattiva: – Si stava male in guerra, ecco com'era. C'era freddo e fame e buio, e avevamo sempre paura. To' mangia, – mi allungò con un gesto ruvido un'altra fetta di salame, – ché tu saresti morta subito, in guerra.

Aveva ragione e lo sapevo, mi misi a mangiare e per un po' restammo in silenzio. Poi la nonna a un tratto disse: – Certo all'aceto potevate pensarci –. Quindi si voltò verso di me e, come se le due cose fossero collegate, aggiunse: – Mi sa che domenica prossima non ti riesci mica a sposare.

Fu allora che la mamma fece scattare la lama del suo coltello a serramanico e prese a tagliare il pane. E per un momento mi sembrò che le scappasse un sorriso.

Cinque

Pietrasanta la vedo sempre dall'alto, con le abitazioni fatte come rettangoli piú o meno grandi e le strade che passano in mezzo, bianche e precise, a formare isolati. La vedo come se non stessi tanto guardando la città, quanto la sua mappa.

Avevo risalito via del Teatro, e poi, arrivata sulla piazza, mi ero accorta che Pietro stava seduto sulla scalinata del duomo, ad aspettarmi.

Tornando dalla casa di Montemarcello, in auto quasi non avevamo parlato. Lui, proprio prima che scendessi, mi aveva di nuovo stretto la mano, e io non ero riuscita a dire niente neppure allora.

La sera ero uscita con Giacomo, avevamo fatto una passeggiata a Lerici, mangiato un gelato e dato i pezzi del cono ai gabbiani che li sapevano prendere al volo. Giacomo mi aveva domandato:

– Dove andiamo in viaggio di nozze?

E io avevo risposto, Parigi, e avevo provato a immaginare la Senna e i bateaux-mouches. L'avevo immaginata di notte, Parigi, illuminata.

Giacomo aveva sorriso e mi aveva detto, Parigi, va bene. Andremo al Louvre, vedremo tutti i quadri e tu me li spiegherai.

– Io non so niente sui quadri del Louvre.

– Oh, sí che lo sai. Non è quello che hai studiato? Se mi chiedi, che so, di femori e clavicole, o di ferite da taglio e punti di sutura, io so tutto –. Poi scherzando, aveva aggiunto, te ne posso parlare per giorni se vuoi.

43

– Va bene, va bene. Ti credo sulla parola. E mi preparerò per farti da guida. Impressionisti e fiamminghi. Non ti deluderò.

E la casa di Montemarcello immersa nel bosco mi era sembrata piú lontana e un po' meno reale.

Qualche giorno dopo, era già maggio, avevo ricevuto un messaggio di Pietro: – Vieni a Pietrasanta? Ti porto a vedere una casa. Alle 18 in piazza.

Ci avevo messo un po' a rispondergli. Avrei voluto dirgli di no, poi però mi ero chiesta se quel messaggio potesse significare qualcosa di diverso da tutti quelli che mi aveva mandato. In fondo, mi dicevo, non era successo niente. Quasi niente. E cosí alla fine avevo scritto, okay, e durante tutto il tragitto in auto avevo continuato a chiedermi se avevo fatto bene.

Se lui mi dice qualcosa, pensavo, o se prova a baciarmi, io lo fermo, lo fermo e gli spiego che mi sto per sposare, che non ha senso. Mi sposo e vado a Parigi in viaggio di nozze. Non ha senso, gli dico.

Poi ero arrivata, avevo parcheggiato e percorso tutta via del Teatro fino alla piazza e lí avevo visto Pietro sul lato opposto. Aveva l'aria di aspettarmi da sempre, di essere seduto su quello scalino da un tempo infinito, soltanto per aspettare me.

E a quel punto avevo tagliato la piazza in diagonale.

Di questo particolare sono sicura, continuo a vedermi mentre lo faccio, dall'alto, come se attraversassi un segmento di carta millimetrata. E so che prima di quel pomeriggio non avevo mai attraversato nessuno spazio in diagonale. Ne sono a tal punto certa perché mentre procedevo, mi sembrava di perdere l'equilibrio, come su un filo.

Fino ad allora non mi era mai passato per la mente che l'equilibrio potesse riguardarmi. Pensavo entrasse in gioco solo quando si ha a che fare con il vuoto, con orli o precipizi. Gli operai sulle impalcature, certi tipi di animali come i gatti e gli stambecchi, gli acrobati e alcuni pezzi di terracotta nella nostra casa sul fiume, che la nonna e la mamma sorvegliavano con apprensione.

Quanto all'altezza, la consideravo da sempre una conquista volontaria, qualcosa che bisogna desiderare e di conseguenza raggiungere o scalare, ma che difficilmente ti capita all'improvviso, mentre stai camminando.

Pietro dal punto in cui stava seduto mi guardava e continuò a farlo finché arrivai di fronte a lui. E fu come se attraverso i suoi occhi, quella specie di intensità che ci metteva dentro, io iniziassi a rapprendermi, addensarmi, e per la prima volta occupassi uno spazio. Le mie scarpe facevano il rumore delle scarpe. Avevo messo i tacchi, cosa che non facevo mai, e mi sentivo alta e stranamente bella, e quando ero arrivata in fondo alla diagonale non avevo quasi piú niente a che fare con me stessa.

Pietro mi aveva guardato attraversare la piazza, poi si era alzato e mi aveva dato un bacio sulla guancia, un bacio veloce, senza smettere di sorridere, e subito si era incamminato verso il fondo del paese.

Prendemmo a salire lungo una mulattiera che si arrampicava dietro a Pietrasanta, andava verso la rocca e costeggiava un campo da pallacanestro per diventare sempre piú stretta, un sentiero ripido e invaso dall'ortica. Si sentiva l'odore dell'estate che stava per cominciare, col pitosforo in fiore, i boccioli bianchi e lattiginosi, che se li tocchi ti appiccicano le dita.

L'erba era alta, me la sentivo sulle gambe mentre camminavamo e dappertutto spuntavano cespugli di ginestra selvatica. Lui stava davanti a me e ogni tanto si voltava a guardarmi.

Arrivammo a un casale, era lungo e aveva qualcosa di sghembo. Entrammo in una cucina, il lavandino in marmo contro una parete lasciata a sasso, l'altro muro con i chiodi ancora attaccati e l'ombra rotonda delle pentole che forse ci stavano appese prima.

45

Pietro mi prese per mano e mi portò su per le scale fino all'ultimo piano. Era una stanza grandissima, con il tetto spiovente e una finestra che partiva da terra e dava sulla valle.

– Vieni, siediti qui. Sai che nelle giornate limpide si vede tutto? Fino a Viareggio e anche le isole.

Mi sedetti e nell'attimo stesso in cui lo feci, sentii che il mio corpo si muoveva in modo diverso quando gli stavo accanto. Proprio come era accaduto nella casa di Montemarcello, o pochi minuti prima nella piazza, era una cosa strana, una questione di densità.

– Hai visto? Eccole. La Gorgona, l'Elba. Ma solo nelle giornate cosí, – mi disse.

Al largo si distinguevano i profili delle terre, appena accennati sull'orizzonte, azzurri e tondi come dorsi di balene.

– Potresti metterci un letto, qui. E la mattina appena sveglia controllare le isole, se ci sono ancora tutte.

Provai a pensare come sarebbe stato svegliarsi in quella stanza, il soffitto a travi, l'aria che sapeva di legno e calce. Tutto era dipinto di bianco e faceva venire in mente le vacanze.

– Sí, ci metterei un letto. E ogni mattina dopo aver controllato le isole scenderei a controllare che ci sia anche l'ombra di tutte le pentole sul muro.

Pietro sorrise, poi dopo un momento aggiunse.

– E per il resto del giorno potresti fare delle sculture.

– Perché dovrei fare delle sculture?

– Oh, non so. È quello che fanno tutti a Pietrasanta, perciò credo che toccherebbe anche a te.

– Non ho abbastanza muscoli. Magari potrei fare delle torte.

– Delle torte?

– Sí, mi piace la cucina. Sarebbe bello fare delle crostate qui, anche se al momento non so cucinare, quindi dovrei prima imparare.

– E poi?

– Poi mi comprerei un tavolo. Un tavolo per gli ospiti, quelli che vengono a mangiare la torta, no?

– E com'è il tavolo?

– Di legno, ovviamente. E voglio anche dei piatti di porcellana bianca e spessa, e dei bicchieri di cristallo blu. Esiste il cristallo blu?

– Sí, credo di sí. E ti serve un divano.

– Oh, certo, un divano.

– Di che colore?

– Non è importante. Ci metterò sopra dei foulard. Sí, perché mi prenderò anche un gatto, e il gatto sul divano si farà le unghie. Quindi ci vuole il foulard, perché presto verranno via tutti i fili.

– Grandi progetti, dunque. Farsi rovinare il divano dal gatto, e poi cos'altro?

– E poi…

– E poi io ora ti bacio.

Eravamo sul bordo della finestra. Nella piana stava scendendo l'ombra e l'oscurità pareva incollarsi alla terra, ne anneriva certe parti. Poco piú avanti iniziavano i cespugli di ginestra e le mura della Rocca.

Mi aveva baciato, un bacio caldo, che sapeva di buio e di estate, e mentre mi baciava mi stringeva forte e la mia pelle e la mia bocca si erano subito arrese, come se tutto fosse imprevisto e inevitabile, come se i pensieri che mi ero fatta in testa, prima di incontrarlo, avessero di colpo mostrato tutta l'inconsistenza dei pensieri, fatti perlopiú di elettricità, soggetti a sbalzi di tensione e interruzioni improvvise.

Piano ci eravamo sdraiati per terra, nel punto esatto in cui avevamo immaginato di sistemare un letto. Io gli avevo sbottonato la camicia e mi ero sollevata la maglietta perché la mia pelle potesse aderire alla sua. Quand'era accaduto, tutto il tempo, gli ultimi giorni e settimane, e ancora prima gli anni, tutto il tempo in blocco fino a quel momento, sembrava fosse servito per farci combaciare, lui e io appena prima della finestra aperta.

Facemmo l'amore, e la piazza che avevo tagliato in diagonale finí per sembrare solo una pozza di luce, laggiú in fondo, al centro del paese.

Ogni tanto si sentiva fuori un cane abbaiare o un'auto che saliva i tornanti.

Restammo cosí, tenendoci per mano, senza parlare piú. Pietro accanto a me, con gli occhi chiusi. Io lo guardavo e non riuscivo neppure a immaginare cosa ci fosse appena oltre quella stanza.

Le strade, il lungomare, Marinella, Bocca di Magra, Giacomo, il nostro matrimonio, tutto sembrava non riguardarmi piú.

Poi Pietro si era voltato verso di me e aveva detto soltanto:

– Fare l'amore con te è una cosa infinita.

Sei

– Che dici, Agata, la porteranno? Uno non ci pensa mai all'acqua e poi quando ti manca...

Per tutta la mattina avevamo provato ad aprire i rubinetti. Singhiozzavano, per un attimo usciva un rivolo denso e sporco, poi piú niente, e adesso la mamma stava pulendo i piatti con uno strofinaccio.

Fuori sentivamo i gommoni della protezione civile che continuavano ad attraversare la distesa liquida, compatta e marrone che aveva preso il posto di tutto il resto. La nonna dopo pranzo si era affacciata un'ultima volta: – C'è caso che rimaniamo solo noi, – aveva detto e poi se n'era andata a dormire.

– Accendiamo la stufa, – disse la mamma. – Comincia a fare piú freddo.

Accartocciai dei fogli di giornale e li sistemai dentro, poi le pigne, che di solito prendevano subito, infine la legna. Diedi aria alla fiamma con una paletta di quelle per giocare a racchettoni sulla spiaggia. C'erano in casa nostra una serie di oggetti di cui non ricordavamo ragione e provenienza, e che col tempo si erano trasformati cambiando la loro funzione. Cosí adesso quella paletta di legno non batteva piú alcuna pallina, ma serviva per accendere il fuoco.

– La legna è umida, ci mette un po'.

– Appena avrà preso, porteremo giú quella che c'è in soffitta e la sistemeremo vicino alla stufa cosí intanto col calore si asciugherà –. Poi la mamma sorrise e aggiunse: – Come si fa in campeggio, no?

49

– Non lo so, in effetti non ci sono mai andata in campeggio.

– È vero, non ci sei mai voluta andare. Peccato. Va be', considerala come un'occasione.

– Un'occasione?

– Certo, per provare un po' di vita selvaggia. Senza luce, senza acqua, dobbiamo accendere il fuoco e farci bastare i viveri.

Mi voltai a guardarla. – Stai scherzando, vero? Il fiume è esondato, noi abbiamo il piano terra pieno d'acqua e tu pensi che sia un'occasione?

– Oh, insomma, Agata, a volte bisogna trovare il lato positivo. Io non sopporto la gente che si lamenta. Be', ci sei riuscita?

Feci segno di sí, la fiamma adesso nella stufa era alta e il calore cominciava a riempire la stanza.

– Sei proprio brava ad accendere il fuoco, anche se non sei mai andata in campeggio.

– Me l'ha insegnato papà, – l'avevo detto contro di lei, contro la storia del campeggio, che era un po' come Amelia Earhart col suo stramaledetto biplano e la Duras che zappava la terra in Cocincina, ma me ne pentii subito.

A volte capitava, tiravo fuori mio padre per darle contro, ma mia madre non se ne accorgeva mai, o forse faceva finta di non accorgersene.

Si passò le mani sul vestito come se fossero bagnate anche se non era possibile. Tolse la tovaglia e mi disse di aiutarla. Cosí mi alzai e prendemmo i lati e li accoppiammo finché fu perfettamente ripiegata.

– Mi piace moltissimo questa tovaglia. Mi piacciono i limoni, cosí gialli sullo sfondo blu, non è bella? L'avevo presa al mercato, pensa.

– Sí, è bella, – dissi.

– Certo ci stanno meglio gli altri piatti sopra, quelli verdi. Speriamo che non si siano rotti, – aggiunse guardando per un momento verso la scala che portava al piano di sotto. – Comunque, adesso non ci pensiamo. Piuttosto scegliamo qualcosa da leggere –. Si voltò a guardare le scatole portate su la sera prima. – Sarà abbastanza complicato trovare le cose. Forza, dammi una mano.

Mi avvicinai alle pile che avevamo accatastato accanto al forno a microonde che sembrava essere diventato il centro della casa e spiccava bianchissimo e avveniristico in mezzo al resto.

– Vorrei trovare... – disse la mamma, mentre spostava i volumi in alto e scorreva con gli occhi quelli sotto. – Ci dev'essere da qualche parte... *L'isola del tesoro*. È un secolo che non lo rileggo. Dài, aiutami. Certo, adesso è praticamente impossibile, gli inglesi sono finiti coi francesi, le donne con gli uomini.

Sembrava che nella cosa ci fosse un che di scabroso. In effetti lei teneva scrittrici e scrittori sempre separati sulle mensole. Era il suo principale criterio classificatorio, a cui seguiva la provenienza, il genere, e solo in ultimo l'ordine alfabetico e la casa editrice. Riteneva che in letteratura, come nelle arti pittoriche e plastiche, per le donne fosse sempre stato molto piú difficile emergere.

Nella logica di mia madre quello era il solo modo di salvarle, di concedere loro un benessere postumo. Come avrebbero potuto essere felici di condividere le mensole con tutti quegli scrittori nerboruti e arroganti?

Il piú nerboruto e arrogante per mia madre era Hemingway. Il solo motivo per cui accettava di leggerlo, *nonostante tutto*, era che si alzava alle cinque.

«Se uno si alza ogni mattina alle cinque per scrivere vuol dire proprio che ci tiene parecchio. Ma tutti quei leoni che muoiono, e quei bisonti». Scuoteva la testa con un'espressione affranta.

– Sai, ho pensato a Stevenson perché mi sembra adatto, – sorrise. – Alle circostanze, voglio dire.

Cominciavo a credere che ci trovasse persino qualcosa di elettrizzante nella situazione. Ci teneva molto alla casa e l'aveva arredata con attenzione e cura. La sera prima eravamo riuscite a portare su i libri e la collezione dei calamai d'argento, e le stampe, ma quando il ponte era crollato e il fiume aveva invaso il piano terra, io avevo pensato che stessimo naufragando e che avremmo perso quasi tutto e che la mamma si sarebbe disperata. Invece, dopo l'ondata di piena, lei aveva guardato l'acqua limacciosa che stagnava in fondo alle scale, e aveva emesso un unico lungo sospiro, che però sembrava quasi di sollievo.

– La signora Castagna sta prendendo il largo, – dissi.

– Sei sicura?

Si avvicinò alla finestra dove stavo anch'io e insieme guardammo verso la foce. Il mare si era un po' calmato e i gommoni puntavano verso la costa opposta. La signora Castagna si era seduta a prua e se ne stava tutta impettita, stretta in uno scialle color pervinca.

In quel momento un gommone si fece sotto la nostra finestra e gli uomini ci chiamarono, ci passarono delle taniche d'acqua potabile dal terrazzo, e ci consegnarono delle lampade di emergenza.

Non si poteva sapere quando sarebbe tornata l'elettricità, dissero, né quando avrebbero riattaccato il telefono. Non funzionavano nemmeno i cellulari, i ripetitori erano stati danneggiati e in ogni caso non ci sarebbe stata corrente per ricaricare le batterie. Ci avrebbero portato presto anche dei viveri. Prima che se ne andassero pensai a Giacomo. Forse aveva raggiunto la riva e, man mano che vedeva arrivare le barche coi nostri vicini sopra, si domandava che fine avessimo fatto, e cosí pregai quelli della protezione di dire che stavamo bene e che avevamo deciso di restare a casa. Lo avrebbero fatto senz'altro, mi assicurarono, e comunque le notizie erano già state diramate.

Giacomo lo avevo sentito la sera prima, gli avevo detto che c'era lo stato d'allerta, ma nessuno dei due si era agitato piú di tanto, c'era spesso ormai lo stato d'allerta, e certo non avevamo immaginato che il ponte sarebbe caduto e il fiume esondato. E neppure di non poterci piú sentire per telefono.

Avevamo parlato del matrimonio invece. Ci pensi? Manca appena una settimana. Ti ricordi quando ti ho chiesto di sposarmi? Ci eravamo messi a ridere, per il ristorante di San Terenzo. Era uno dei nostri posti preferiti, c'era il castello e le case a cerchio intorno alla baia, d'inverno era anche piú bello, come tutti i posti di mare. Il ristorante aveva una vetrata proprio sulla spiaggia e Giacomo aveva prenotato il tavolo ad angolo, quello che dava sulla riva e mi aveva detto, stasera mettiti qualcosa di bello che è un'occasione speciale.

«Perché speciale?»

«Fidati e non fare domande».

Io mi ero messa un abito carino e ci eravamo incamminati sul lungomare. Sentivo che era emozionato e avevo pensato che forse stava per succedere, che quella sera mi avrebbe chiesto di sposarlo. Ma poi quando eravamo arrivati al locale, ci eravamo resi conto che gli altri tavoli erano tutti occupati da una scuola di sub. Una cinquantina di istruttori di immersione, tutti uomini, che parlavano forte e bevevano e si raccontavano le loro imprese sottomarine. Non era stato molto romantico, di sicuro non come lo aveva immaginato Giacomo, ma comunque alla fine eravamo andati sul molo e lui si era inginocchiato e mi aveva dato l'anello. Ogni volta che ci pensavamo, ci veniva da ridere. Il nostro fidanzamento, noi due e cinquanta sommozzatori esperti. Ecco, avevamo parlato di quello la sera prima, non dello stato d'allerta.

Appena finimmo di portare dentro le taniche e le lampade, mia madre riprese la sua ricerca.

– Sai cosa gli facevano fare?

– A chi?

– Sulle navi dei pirati. Il giro di chiglia. Capisci, la legge a bordo era spietata e cosí, se qualcuno sgarrava, gli facevano fare il giro di chiglia.

53

– Come te, – dissi.

Sorrise e fece un cenno come dire, ma figuriamoci. Però io me lo ricordavo, uno dei ricordi piú spaventosi della mia infanzia.

Quando papà aveva comprato la barca ci aveva urlato, venite a vedere. Era un fuoribordo di quattro, cinque metri, con al centro una specie di cassero, il volante, e davanti un prendisole in tek chiaro a listelli.

La mamma si era stretta il nodo del pareo, aveva sorriso e con un balzo era salita a bordo. Io no. Guardavo quel pezzo di resina bianca in cui avrei dovuto trascorrere le prossime ore e continuavo a pensare che fosse lontanissimo e che il suo moto oscillatorio fosse insieme imprevedibile e perpetuo.

Persino le onde avevano un momento giusto, quella breve parentesi in cui una si è già ritirata con il suo risucchio profondo e la successiva deve ancora arrivare, ecco, quello è l'intervallo che ti lascia il mare per entrare in acqua. Ma qui non funzionava. La superficie dell'imbarcazione rollava, beccheggiava e scartava improvvisa, e i miei mi stavano guardando. Aspettavano che mi decidessi ad apparire entusiasta e coraggiosa, quando io in effetti non ero né l'una né l'altra. Alla fine papà mi aveva preso sotto le ascelle e mi aveva portata a bordo.

Lí per lí avevo persino creduto che il peggio fosse passato. Ma non era cosí. Su quell'avamposto marino tutto era piú evidente, la mancanza di convinzione, di valore e agilità diventavano tangibili, e io strisciavo da una parte all'altra della barca aggrappandomi a cime e parapetti.

Poi, al largo di Punta Corvo, avevamo buttato l'ancora e mia madre si era tuffata spiccando un salto dal bordo e a me erano arrivati addosso gli schizzi.

L'avevamo vista nuotare verso la riva, salire sugli scogli, tuffarsi ancora e raggiungere di nuovo la barca.

Il suo corpo in mare si muoveva con piú naturalezza che sulla terraferma. Sembrava appartenere alla marea che saliva, al vento, alle profondità ora verdi e ora piú violacee dove s'infittiva il sargasso crespo, e quella cosa me la faceva sentire lontana, come quando in cucina cantava *Onda su onda*.

– Adesso passo sotto la barca. Guarda, Agata.

Probabilmente riteneva che la cosa mi potesse divertire. Io per tutto il tempo ero rimasta al sole, incapace non solo di tuffarmi, ma anche di calarmi dalla scaletta, caparbia nella mia paura. Papà mi aveva rovesciato addosso un po' d'acqua raccogliendola con la maschera. E mi aveva messo un cappello perché non prendessi troppo sole. Com'erano diverse le sue donne, doveva aver pensato. Come si complicava improvvisamente tutto attraverso le donne. Perché il coraggio di mia madre, la sua temerarietà non gli erano meno estranei e incomprensibili del mio terrore, e ci guardava entrambe senza sapere da che verso prendere né l'una né l'altra, cercando di accontentarci, assecondarci, trattenerci.

– Faccio tutta la barca, – disse la mamma.

Adesso respirava con maggiore concentrazione e mi guardava da sotto le paratie brevi che separavano il mondo emerso da quello profondo. Poi si inabissò.

Per qualche istante l'acqua spumeggiò bianca e disordinata in superficie, tutto si spense in una specie di vibrazione e io la immaginai in qualche punto sotto di me, sotto la barca. Se le fosse mancato il fiato non sarebbe potuta riemergere. Magari avrebbe battuto la testa contro lo scafo, sarebbe colata a picco. Ed ero rimasta lí, immobile, trattenendo a mia volta il respiro per vedere se era possibile, se era possibile davvero resistere.

Probabilmente tutto durò molto poco, ma nel ricordo quel momento mi sarebbe sempre sembrato interminabile. E interminabile ogni volta, perché lo avrebbe fatto di nuovo, alle uscite successive, sempre dicendomi, guarda, Agata! Io guardavo, incapace di fare altro, mentre intorno si rapprendeva il silenzio. Diversi tipi di silenzio. Il mio, sospeso, e il silenzio di papà, molto piú complicato, insieme terrorizzato e terrorizzato di esserlo. Ma non per la mancanza d'aria, no. A terrorizzarlo era quel qualcosa che spingeva sua moglie a passare sotto una barca senza respirare. Sua moglie che organizzava le riunioni della Tupperware, invitava la gente a cena, cucinava, portava la biancheria in lavanderia, e poi all'improvviso passava sotto la barca in apnea. Il giro di chiglia.

– A volte morivano, – disse. – Non era detto che riuscissero a salvarsi. Li tiravano sulla nave e potevano essere vivi o morti.

Alla fine lo trovò, *L'isola del tesoro* di Robert Louis Stevenson.

– Quello del pirata col pappagallo? – domandò mia nonna appena alzata quando ci raggiunse.

– Mh-mh, – fece la mamma. Poi si sistemò sulla sua poltrona e sfogliò un po' le pagine avanti e indietro come ogni volta che prendeva un libro, per sentirne peso e odore, nello stesso modo in cui mia nonna annusava e tastava i pomodori. Si spinse gli occhiali sul naso e, tutta soddisfatta per quella scena vagamente ottocentesca – io e la nonna sedute intorno e lei con un romanzo in mano –, si schiarí la voce e cominciò a leggere:

«Poiché l'illustrissimo signor Trelawney, il dottor Livesey e gli altri gentiluomini mi hanno chiesto di redigere la storia dell'Isola del Tesoro con ogni dettaglio e dal principio alla fine, senza omettere nulla fuorché le coordinate dell'isola, perché una parte del tesoro è ancora là, prendo la penna nell'anno di grazia 17...»

Le ore successive trascorsero cosí. Con mia madre che leggeva e le signore del vicinato che si allontanavano sui gommoni. Se ci vedevano sul balcone ci facevano un cenno di saluto. Sollevavano appena la mano destra nell'aria e l'agitavano, con poca convinzione.

La nonna, dopo il riposo, aveva indossato un abito blu

cobalto, uno dei piú belli che aveva. E si era sistemata i capelli, pettinandoli. Cosí adesso poteva ricambiare i saluti delle vicine, sporgendosi appena dal ballatoio, come dal cassero di una nave. Sorrideva e le salutava quasi fosse lei a partire, ma tipo per una crociera, una traversata transoceanica.

Intanto i tronchi d'albero navigavano rapidi verso il mare e le carcasse delle barche e l'intelaiatura di un letto e una porta rossa, di legno, mentre la luce lasciava di nuovo le cose e quello strano mondo fatto per lo piú d'acqua cedeva all'ombra e alla sera. L'odore di terra era sempre piú forte, la puzza saliva dalle stanze al pianterreno, sapeva di acqua marcia, freddo e buio, se il freddo e il buio possono avere un odore.

Chissà se Giacomo era dall'altra parte del fiume e aveva domandato alla Nitti o alla Castagna perché non eravamo salite sui gommoni come gli altri. E chissà se quelli della protezione civile erano riusciti a recapitargli il mio messaggio.

Immaginai i miei regali da qualche parte sott'acqua. La pentola a pressione, il tostapane e la lampada con il gatto erano di sicuro già affondati.

Forse si era allagata anche la chiesa e il ristorante dove avevamo deciso di fare il pranzo dopo la cerimonia. Pensai al patio ombroso sul fiume e dentro le arcate in calce bianca e mi sembrò di vedere i tavolini con le tovaglie galleggiare lenti accanto alle finestre che davano verso il mare, i quadri che si staccavano dalle pareti e poi, alla fine, mi venne in mente l'acquario.

Al centro della sala, nel ristorante, c'era un enorme acquario con stelle marine, aragoste e ombrine, che quando cenavi ti fissavano da dietro il vetro e si spostavano nell'acqua sollevando i sassolini del fondale. Immaginai che l'acquario doveva essersi scoperchiato per la forza del fiume e che i pesci a uno a uno avevano preso a nuotare via, passando accanto ai tavolini e ai portacandele, ai bicchieri di vetro e alle brocche, e il bagliore delle loro squame si confondeva con quello delle posate, con certi vassoi da portata che ondeggiavano sospinti da un colpo di coda. E mentre la pasta usciva dalle confezioni e risaliva in superficie e le verdure lasciavano i taglieri per galleggiare altrove e lo zucchero e il sale si scioglievano piano tutt'intorno, i pesci in silenzio raggiungevano il mare.

Sette

Quella sera, la prima dopo che era crollato il ponte, mentre «il vento scuoteva la casa ai quattro angoli» e Jim Hawkins aspettava terrorizzato che apparisse il marinaio con una gamba sola, la nonna aprí la scatola di latta. Forse neppure lei si ricordava di averla, e dopo averla vista tra le altre cose sul ballatoio, si era messa a guardarci dentro per curiosità.

Cominciò a tirare fuori delle fotografie. Erano di moltissimo tempo prima, in bianco e nero, con i margini merlati. Le guardava e le sistemava in fila sulla panca su cui stava seduta, una sull'altra, cercando di non mescolarle. Si era messa in disparte e si vedeva che non aveva voglia di condividere quell'operazione, ma la mamma e io ci avvicinammo lo stesso, e via via che lei le appoggiava noi prendevamo le foto in mano e le chiedevamo chi era questo e chi era quello, il tipo in piedi dietro al nonno e la signora che salutava sulla porta, e che posto era e che anno.

Ci eravamo spostate in camera mia, perché l'ultimo chiarore del giorno la rendeva un po' piú luminosa. Avevamo deciso di tenere accesa soltanto una lampada di emergenza per volta. Ma forse, se ci eravamo spostate lí, era anche perché con la sera tutto era diventato piú silenzioso. Adesso che anche le imbarcazioni avevano smesso di fare avanti e indietro e gli elicotteri erano scomparsi, ognuna di noi si era accorta dello sciabordio che proveniva dal piano terra, lo stesso rumore che a volte si avverte quando si cammina sui pontili e sotto l'acqua continua ad agitarsi.

Si era di nuovo alzato il vento. In lontananza si sentiva il mare, e la nostra casa, come sempre nelle notti di tempesta, scricchiolava e gemeva in ogni angolo. I vetri tremavano e gli infissi, a certe raffiche, pareva si dovessero spaccare da un momento all'altro. Persino il legno degli armadi gemeva e anche con tutte le finestre chiuse, refoli di vento attraversavano la stanza e increspavano l'aria. Il mio abito da sposa ogni tanto ondeggiava, come se qualcosa lo avesse smosso passando.

– Guarda mio padre, – disse la mamma allungandomi una foto. – Stava proprio bene. Dov'era qui? Sul Duca degli Abruzzi?

Il nonno, magro, con una divisa abbondante e una sigaretta tra le dita, era appoggiato al parapetto di una nave e guardava lontano.

C'erano parecchi ritratti, e che fosse in navigazione o in giardino, i suoi occhi cercavano sempre un punto appena oltre il limite della foto. Fissava l'orizzonte. Credo l'avesse scoperto la prima volta che aveva visto il mare, l'orizzonte. Nella Pianura Padana, dove era vissuto fino a quel momento, per via della nebbia in inverno e della calura che si sollevava nei mesi estivi, la terra terminava con un effetto brumoso, come se l'ultimo contorno visibile si sfrangiasse piú che concludersi. In certe giornate, a guardarlo troppo a lungo, ci si doveva sentire di malumore, o peggio, afflitti, e si finiva per rincasare.

E invece adesso il mare smetteva con una linea che aveva tutto l'aspetto di un bordo, come i bordi dei tavoli e dei muretti e delle finestre, che parevano fatti apposta per sporgersi e andare a vedere cosa c'era appena dopo. E cosí – immaginavo – il nonno si era affezionato a tal punto alla sua recente scoperta, da cercare l'orizzonte ogni volta oltre la cornice bianca delle fotografie e forse era stato lui a mettere in testa la stessa faccenda anche a mia madre. Una specie di problema ereditario, l'orizzonte.

– Andavano in Libia, – disse mia nonna. – Per Mussolini. I fascisti credevano che era nostra l'Africa. Quante stupidaggini.

– E qui, dove eravate?

– A Taranto. T'era venuto il tifo, ti ricordi Cè? Avevi mangiato i frutti di mare ed eri stata male per un sacco di tempo.

– E questa?

La nonna era rimasta un momento in silenzio, poi aveva detto in tono sbrigativo.

– Il Palazzon –. E quasi tra sé aveva aggiunto: – Quel scemo.

Aveva detto cosí, strascicando anche la esse, perché quell'espressione arrivava direttamente da quando lei viveva a Modena e parlava ancora il dialetto.

Mi voltai verso mia madre e lei provò a spiegarmi: – Il mio bisnonno. Durante la Prima guerra, quando gli uomini erano al fronte, aveva fatto degli investimenti sbagliati, forse al gioco, insomma s'era ipotecato ogni cosa. E quando erano tornati, il Palazzon, ch'era la casa dove la nonna è nata, aveva fatto una brutta fine. È andata cosí, no?

– Tutto c'avevano portato via. Me lo ricordo ancora, sui carri coi mobili, e la gente che ci guardava. Io e le mie sorelle. Un scemo e basta, ecco.

– Sai, Agata, era il palazzo piú alto della zona, lo vedevi da lontano. Con appezzamenti di terra tutt'intorno e frutteti. L'unica nostra casa che abbia mai avuto un nome, una volta mi c'hai portato, ti ricordi, mamma?

La nonna fece un gesto della mano, come a scacciare il Palazzon e tutto ciò che si tirava appresso.

Ripensai per un momento a quella mattina, a quando aveva detto, non ce ne andremo, mentre gli uomini della protezione civile stavano sotto la nostra finestra coi gommoni. Mi chiesi se anche quello avesse a che fare col Palazzon.

Mia madre disse che poi, quando la Vittoria, la sorella maggiore della nonna, aveva conosciuto suo marito Mauro, il grossista di scarpe, lui glielo voleva ricomprare, il Palazzon.

– Niente, lei non aveva voluto. Non c'era stato verso. E Mauro lo avrebbe pagato anche piú di quello che valeva. Per regalarlo a lei, per amore.

– Eccola qui, la zia, – dissi.

Guardammo tutte e tre la fotografia in cui compariva la zia Vittoria.

Stava in piedi, impeccabile e seria. Come in tutte le immagini che la ritraevano, guardandola si aveva sempre l'impressione che dovesse accadere qualcosa di importante.

Dietro si vedeva una foresta.

– Qui Mauro era già morto, – disse mia nonna.

La storia la sapevamo tutti. Mauro si era ammalato e nel giro di qualche mese se n'era andato, lasciando la Vittoria con due bambine piccole, e una serie di magazzini pieni di mocassini e scampoli di pelle. Aveva appena avviato un'impresa in Venezuela, investito capitali e spedito macchinari per la concia delle pelli di coccodrillo.

– Quando Mauro morí, tutti dissero alla Vittoria di vendere il magazzino, ma lei non ci pensava neanche, e quando le consigliarono di lasciare almeno perdere il Venezuela, lei andò in una boutique di Modena, si comprò un abito adatto e il mese successivo salpò con una nave diretta a La Guaira, – raccontò la nonna. – E qui stava nella giungla. Non era mica facile.

Quella storia l'avevo sentita centinaia di volte e piú la ascoltavo, piú provavo per la zia Vittoria un'ammirazione sconfinata. Aveva fatto fruttare l'impresa del marito oltre ogni immaginazione, e aveva comprato case, investito in terreni e durante la guerra aveva già talmente tanto oro che era stata costretta a nasconderlo. L'ammiravo e la immaginavo proprio cosí, come in quella foto, che risaliva i corsi d'acqua nel folto della foresta. Intorno le mangrovie, gli improvvisi salti d'acqua, le rapide e, sulle sponde, i lunghi coccodrilli che la guardavano passare, con un misto di ferocia e apprensione.

– E qui dov'eri?

– A La Maddalena. C'erano gli scarafaggi. Quando siamo arrivati in casa, la prima sera, ho spostato il mobile e la parete era nera, coperta di scarafaggi.

Di quel periodo la nonna raccontava sempre la storia degli scarafaggi. Non si sapeva mai come andasse a finire, perché si bloccava ogni volta al momento in cui la parete era nera. Ma lei del resto le raccontava sempre cosí le cose, a pezzi. Come anche coi tedeschi. Diceva che durante la guerra i tedeschi le avevano sparato alle gambe, ma nessuno di noi sapeva cos'era successo dopo, come si fosse salvata. L'avevano trasportata in ospedale? Aveva rischiato di morire dissanguata o di perdere la gamba? E soprattutto, com'era possibile che in tanti anni non le avessi mai visto la cicatrice?

E gli scarafaggi? Li aveva uccisi? Era scappata?

Niente, i suoi racconti si interrompevano ogni volta sul piú bello; forse anche per questo quella sera mi convinsi che avesse dei segreti. E quando piú tardi trovai la fotografia, quel sospetto diventò certezza.

La prima cosa fu la chiave.

La nonna la prese dalla scatola e poi la tenne un po' in mano, quasi non la vedesse da molto tempo e dovesse di nuovo capirne il funzionamento.

Stava per rimetterla a posto, quando io le chiesi se potevo averla un momento.

– Perché?

– No, cosí, è la chiave di un hotel, vero? – l'avevo riconosciuta dal pendaglio in plastica.

La nonna annuí e allora mi alzai e andai verso di lei. Per qualche ragione non sembrava cosí contenta che io mostrassi tutto quell'interesse, comunque alla fine me la lasciò guardare.

Era abbastanza lunga, di ottone giallo e pesante, appesa a un parallelepipedo di plastica rosso, dove da una parte c'era inciso il numero della camera, 14, e dall'altra la figura stilizzata della Mole, con la dicitura Hotel San Giors.

– È di un albergo di Torino. Ci siete stati tu e il nonno, a Torino?

– No, – rispose secca. – Non ci siamo mai stati a Torino. Né io né tuo nonno, figuriamoci.

– E allora chi l'ha rubata?

– Non lo so chi l'abbia presa e non so neanche come c'è finita qui dentro. Su, ridammela che la metto a posto.

– Se non t'importa, me la regali? – dissi. Mi sembrava bellissimo avere la chiave della porta di un hotel che chissà dov'era. La nonna fece una faccia strana e per un momento guardò mia madre. Era rimasta a sfogliare le foto, certi album piccoli, con le pellicole di plastica appannate. Forse aveva sollevato appena la testa quand'era spuntata la chiave dalla scatola, come se di colpo si fosse ricordata di non essere sola nella stanza.

Poi la nonna disse: – Ma cosa te ne fai, Agata? Sei piena di cianfrusaglie in questa camera.

Sorrisi. – Ma tanto ora me ne vado e porto via tutto, – e aggiunsi: – Ti prego, dài, nonna.

Ci fu ancora come un tergiversare in lei, infine lasciò andare la chiave e disse, va bene, prenditela, se proprio la vuoi.

La mamma sembrava stesse facendo di tutto per non immischiarsi. Io fui felice di averla avuta vinta e mi affrettai a sistemare la chiave al sicuro, prima che la nonna ci ripensasse. Soltanto in seguito mi resi conto di averla messa proprio nello stesso cassetto della chiave di Marinella.

Tornai a sedermi a terra e continuammo a guardare le foto, finché la mamma domandò: – È la zia Teresa, questa? Era carina, da giovane.

– Si prendeva sempre tutto l'aceto balsamico che faceva la Vittoria. Con una scusa o l'altra, – brontolò la nonna.

– Oddio, quando finisce la tempesta te ne regaliamo dieci bottiglie di aceto balsamico, giuro, – disse mia madre e ci mettemmo a ridere e fu a quel punto che la nonna si bloccò. Me ne accorsi come ci si accorge che in una stanza cambia la luce, perché i suoi gesti erano stati scanditi fino ad allora, e percepivo una specie di ritmo sempre uguale con la coda dell'occhio, che s'interruppe di colpo.

Mi voltai e la scoprii a fissare una fotografia con un'espressione concentrata, se di sorpresa o disappunto non riuscivo a capirlo. La guardò, poi all'improvviso se la infilò nella tasca dell'abito blu che indossava, rialzò gli occhi verso di noi e sorrise.

Mia nonna sorrideva poco e se lo faceva era per distrarti, per farti credere che andasse tutto bene quando in effetti non era cosí, per metterti in trappola. Lo pensai subito. Quella foto voleva nasconderla, non voleva che noi la vedessimo.

Tornò a rimestare nella sua scatola di latta. Io continuai a sorvegliarla per tutto il tempo, ma non fece piú niente di insolito. Parlammo ancora di qualche zio, di certe cugine, infine la nonna mise a posto tutto e chiuse il coperchio con uno schiocco metallico.

– Io vado a letto, – disse e mentre lo diceva si appoggiò una mano sulla tasca, come a controllare che la foto ci fosse ancora.

Decisi che dovevo averla.

Cosí quando lei si spogliò, mise il vestito blu su una sedia e poi in sottoveste si diresse in bagno, attraversai il ballatoio, m'infilai nella sua stanza e tastai le tasche del vestito, finché non trovai la fotografia. La presi e tornai in camera mia.

Una volta lí, sotto la luce d'emergenza, la guardai.

Otto

Ho ripensato spesso al perché mi fosse sembrato subito
cosí necessario sapere chi o cosa ci fosse nella fotografia
della nonna, necessario al punto da scivolare in camera sua
e di frugare nelle tasche del vestito blu.

In parte, credo, lo feci perché volevo smascherarla. L'ho
detto, ero sicura che ci nascondesse qualcosa, lo pensavo
ogni volta che interrompeva le sue storie all'improvviso,
come se non volesse rivelarci il finale.

E tuttavia credo ci fosse dell'altro. Se mi fissai sul fatto
che la nonna potesse avere un segreto, è perché io stessa
lo avevo, un segreto. Era da mesi che lo custodivo, dalla
sera di Pietrasanta. L'odore del pitosforo, i bicchieri di
cristallo blu, tutti i nostri letti immaginari, i letti che Pietro e io ci inventavamo e spostavamo nelle stanze vuote.

Improvvisamente capivo perché si usasse la parola custodire per i segreti. *Custodire: sorvegliare qualcosa con attenzione e con cura, in modo che non subisca danni e si con-
servi intatto*, ecco, era quello. Nei confronti dei segreti si
sviluppa una speciale dedizione, un affetto profondo e
incondizionato, li si vuole mantenere intatti. Nessuno li
deve corrompere, nessun altro a parte noi ha il diritto di
conoscerli, toccarli, avvicinarsi.

Perciò la nonna aveva appoggiato il palmo aperto sulla
tasca a proteggerne il contenuto, ero sicura.

Ma quando guardai per la prima volta la fotografia restai abbastanza delusa.

Non sembrava avere niente di strano, né nascondere alcun segreto. C'era solo mia nonna al tavolino di un bar. Un posto elegante, con gli specchi alle pareti e – immaginai anche se non ne potevo essere sicura –, i divanetti e le poltrone foderati in velluto. La nonna, che nella foto poteva avere vent'anni, forse di piú, teneva il cucchiaino sollevato di fronte a una coppetta piena di panna. Guardava in macchina e sorrideva.

E questa era la sola cosa un po' strana, perché mia nonna non sorrideva mai nelle foto. Diceva che veniva male e metteva su un'espressione contratta e tesa, che si traduceva ogni volta in una smorfia.

Invece nel caffè la nonna sembrava felice, diversa. Diversa da cosa, neanch'io lo sapevo. Da come ero abituata a pensarla? Da come la immaginavo da giovane? In realtà se dovevo pensare a mia nonna da giovane, finivo sempre per figurarmela in un pollaio con il collo di una gallina tra le mani. La mamma mi aveva raccontato che nonna Fulvia le sapeva uccidere, le galline, e a me era sembrata una cosa cosí spaventosa che mi si era fissata in testa.

E comunque, pensai, a parte il sorriso, tutto si riduceva a una coppetta di panna, niente insomma che meritasse tanto mistero. Eppure, se l'aveva nascosta, doveva esserci qualcosa che non voleva farci vedere.

Tornai a guardare l'immagine. La nonna era vestita da inverno, il locale per come era arredato sembrava un caffè di città, forse si trovava a Modena. Forse a Mirandola, la nonna diceva sempre che Mirandola era piccola ma molto molto elegante, col suo teatro e la sua piazza e che c'erano dei bellissimi locali. Magari quel caffè era a Mirandola, uno di quei posti in cui entri quando fuori fa freddo e c'è la nebbia.

No, non c'era proprio niente di speciale in quella foto. Ma poi mentre già stavo pensando di riportarla dove l'avevo presa, mi accorsi di una cosa.

Nello specchio, alle spalle della nonna, s'intravedeva il

riflesso di chi stava scattando. Non me n'ero accorta subito perché era una sagoma scura che nella grana del vetro si distingueva appena. E tuttavia ero sicura che non si trattasse di mio nonno. Mio nonno aveva una figura piú esile da giovane e non era altissimo, mentre il tizio del caffè sembrava parecchio alto e di corporatura forte. Ma soprattutto il nonno era biondo e l'uomo della foto aveva i capelli neri, si vedeva chiaramente, anche se il viso era nascosto dalla macchina fotografica.

Voltai la foto. Dietro c'era solo la data scritta a penna, 1944.

Nel 1944 c'era ancora la guerra e il nonno era deportato in Germania. Guardai di nuovo mia nonna. Sorrideva, come non faceva mai nei nostri scatti di famiglia. Sorrideva a un tizio che non era suo marito, nel 1944 in un caffè elegante che si trovava chissà dove, con davanti una coppetta piena di panna.

Se de La Maddalena o dei tedeschi che le sparavano addosso sapevo poco, della vita di mia nonna non sapevo quasi niente. Gli anni che aveva trascorso a Modena e tutti i momenti che aveva passato in famiglia, con i genitori e le sorelle, sembrava li avesse semplicemente cancellati. Non ne parlava mai, non raccontava niente. Erano quattro sorelle – le sorelle Cavani – ed erano tutte rosse di capelli. Quello di mia nonna era un riflesso mogano, mentre la Egle esplodeva in un rosso tiziano. A quanto mi aveva detto la mamma, la zia Egle era di sicuro la piú bella, ma per me era solo la piú sfortunata. Una volta eravamo andate a trovarla – potevo avere otto anni –, e prima di entrare in casa la mamma mi aveva avvisato che la figlia della Egle era cieca e di non dire cose sgarbate. Poco dopo in cucina la Marcella – cosí si chiamava la ragazza cieca – aveva chiesto da bere a sua madre. E la Egle le aveva appoggiato bicchiere e bottiglia di fronte, ma Marcella non era riuscita a trovare subito l'acqua e se l'era presa con lei che met-

68

teva le cose nei posti sbagliati. E a me la zia Egle aveva fatto una compassione tremenda, là da sola, in quella casa buia, a cercare di capire dove posare le cose.

Poi c'era la Teresa e di lei sapevo che aveva sempre vissuto con la zia Vittoria. E – questo me lo ricordavo – abitava in un armadio. Quando la mamma mi aveva portato da lei, al primo piano della villa, si era fermata davanti a un mobile quattro stagioni e aveva appoggiato la punta delle dita a un'anta. Una spinta leggera, e quella aveva fatto uno scatto e si era socchiusa. Dietro non c'erano grucce e abiti appesi: c'era un corridoio. Un lungo corridoio scuro e stretto in fondo al quale viveva la zia Teresa.

Lei talvolta si materializzava all'improvviso, un momento non c'era e l'attimo dopo te la trovavi davanti. Ecco perché: utilizzava dei passaggi segreti per spostarsi, nella casa c'erano dei cunicoli, dei tunnel, dei corridoi nascosti nei mobili alla fine dei quali ci si ritrovava davanti alla Teresa.

Questo era quanto: la zia Vittoria e i coccodrilli, l'Egle bella e sfortunata, la zia Teresa che viveva in un armadio, la nonna a cui i tedeschi avevano sparato alle gambe.

E poi c'era mio nonno. Che subito dopo averla sposata era dovuto partire per la guerra. Le cose nei racconti di famiglia succedevano tutte di corsa, una dietro l'altra, come se contassero soltanto i fatti.

Dopo era nata mia madre, e il nonno l'aveva vista per la prima volta che lei aveva già sette mesi. E poi sapevo di Pola. Che la nonna e mia madre erano andate lí a trovare il nonno, ma c'era stato l'8 settembre e i tedeschi avevano sequestrato le navi della Marina e fatto scendere tutti e li avevano caricati sui treni per i campi di prigionia e sapevo che mia nonna aveva cercato di liberare mio nonno, di convincere i tedeschi perché lo lasciassero andare, ma che quelli le avevano sparato alle gambe. Ecco, era stato lí che le avevano sparato alle gambe. E poi mio nonno era stato deportato in Germania, a Sandbostel.

Aveva imparato il tedesco, mio nonno. Ogni tanto lo parlava quando pranzavamo tutti insieme, ma poi della prigionia non voleva mai raccontare niente, diceva solo ch'era tornato a piedi e che la nonna gli aveva aperto la porta e subito non lo aveva riconosciuto tanto era magro. Una volta ero andata a vedere dove si trovasse Sandbostel e avevo scoperto che era quasi ai confini con la Danimarca. Immaginavo mio nonno attraversare tutta l'Europa a piedi, là nel mezzo della cartina, un passo via l'altro.

La nonna nel frattempo era sfollata nelle campagne intorno a Modena, a Fossa, e per quanto mi riguardava, aveva continuato a uccidere le sue galline. E poi da lí si saltava direttamente a La Maddalena e agli scarafaggi.

E quella foto dove bisognava metterla? Tra Pola e gli scarafaggi? Tra le galline e Sandbostel? E quel tizio a cui la nonna sorrideva chi era? Perché lei mangiava la panna mentre suo marito era deportato in Germania?

A quanto ricordavo, in tanti anni, mai la nonna aveva ordinato una coppetta di panna. Lei aveva tre sorelle, una famiglia caduta in disgrazia, partoriva, si faceva sparare dai tedeschi, ammazzava le galline e di certo non mangiava la panna con un uomo mentre suo marito era prigioniero.

Avevo ancora la foto in mano quando ci fu il colpo, una specie di schianto, molto forte, e dopo un attimo la mamma aprí la porta: – Tutto bene, Agata?

– Cos'è stato?

– Non lo so. Guardiamo.

Aprii la finestra. Il vento si era alzato di nuovo e subito mi arrivò addosso, cercai di spalancare anche le persiane, ma facevano resistenza.

– Prova a chiudere la porta, sennò non ce la faccio.

Il mio vestito da sposa si mise a oscillare e alla fine, quando riuscii a spalancare i battenti, cadde per terra. Nessuna di noi lo tirò su. Dovevamo tenere la finestra aperta. Il fiume era mosso e delle folate piene d'acqua arrivavano di traverso.

A sbattere contro la nostra abitazione era stata una barca, uno scafo di legno, lungo al massimo due metri. Ora era addossato contro il muro, incastrato tra il balcone e la parete. La mamma sparí dentro casa e tornò con una cima. La gettò verso il fianco della barca e in qualche modo riuscí a centrare con il cappio una bitta, tirò e quando l'ebbe abbastanza vicino, si sporse e fissò la cima. L'altro capo lo girò intorno a una colonnina del balcone.

– Perché l'hai legata?

– Altrimenti se la porta via il mare.

– Non ci distruggerà la casa?

– Dobbiamo fissarla in due punti, in modo che se strattona, non sbatta troppo forte contro il muro. Dài poca cima, Agata.

Si comportava come se nella vita non avesse fatto altro che lanciare funi, stringere nodi e fare ormeggi.

Passammo nella sua stanza e gettammo l'altro capo dalla finestra per fermare la poppa. Sotto, lo scafo aveva l'aria di un grosso pesce appeso.

Poi mia madre spari un momento in casa. Quando tornò reggeva un parabordo. Era in soffitta, se n'era appena ricordata. Ci impiegammo un po' per riuscire a fissarlo tra la barca e il muro della casa ma alla fine ci riuscimmo e a quel punto la mamma sorrise e disse che sarebbe stato proprio bello se nessuno se la fosse venuta a riprendere.

Dopo la morte di mio padre avevamo venduto la barca. Non che non la sapessimo portare, ma la mamma aveva preferito cosí, perché senza papà non sarebbe stata la stessa cosa. Adesso per fare il bagno andavamo alla spiaggia in fondo al paese, oppure uscivamo con i gozzi di linea che portavano agli spiaggioni, una lingua di sassi neri dall'altra parte del promontorio dove si arrivava solo per mare o attraverso un sentiero ripido.

La mamma sembrava particolarmente soddisfatta dell'ormeggio.

Rientrammo e a quel punto mi accorsi di aver lasciato la foto sul letto. Anche la mamma la vide.

– L'ho presa alla nonna, – dissi. E, piú incerta, aggiunsi: – Se l'era nascosta in tasca, per non farcela vedere.

La mamma guardò lo scatto, forse un po' velocemente, e poi disse che dovevo rimetterla dove l'avevo presa. Non ci badai, e continuai: – Tu lo sai dove l'ha fatta questa foto?

Fece di no con la testa e diede un colpo rapido al mio cuscino. Sembrava che da quando c'era la tempesta lei fosse soltanto preoccupata per la forma dei cuscini.

– Ti devo fare vedere una cosa, – dissi. – Guarda, qui, nello specchio. Il fotografo, insomma quello che le sta scattando la foto, non è il nonno.

La mamma sollevò le spalle. – Sarà stato qualche parente, un cugino. Che c'è di strano?

– La nonna mangia della panna. Vedi? Nella coppetta accanto. È panna.

– Oddio mio, Agata. Sí, sembra panna, e allora? Ma che ti prende?

– C'era la guerra. Il nonno era in Germania. La nonna non ce la voleva fare vedere questa foto. Te l'ho detto, se l'è nascosta. Come se la volesse togliere di mezzo. E nella foto c'è questo tizio...

– Ma se neanche si vede. E dài Agata, l'avrà messa da parte per gettarla via. Lo sai com'è la nonna, dice sempre vengo male, vengo male, e non si piace mai.

– Non è venuta male.

La mamma restò un momento in silenzio, poi concluse: – Comunque glielo puoi sempre chiedere –. Si mise a ridere. E io, piccata, ripetei:

– Non ha mai preso la panna quando andiamo fuori.

Era una cosa stupida da dire e non era quello il punto, il punto erano mio nonno in Germania, la guerra, il tizio che la fotografava. Ma la mamma aveva ragione, forse non avrei mai trovato il coraggio d'interrogare la nonna. Mi sarei limitata a rimettere la foto dov'era.

– È bellissima però, vero? Guarda, è cosí felice, – dissi.

La mamma si fece seria e rispose che sí, era vero, la nonna in quella foto sembrava felice.

Nove

Dormii male quella notte, e per lunghi tratti di buio non dormii affatto.

Appena la mamma se ne andò, raccolsi il mio vestito. Per tutto il tempo in cui avevamo parlato della nonna, non ci eravamo rese conto che era rimasto a terra. Man mano che passavano le ore, mi sembrava non avesse quasi piú niente a che fare con il matrimonio, lo collegavo piuttosto alla notte della tempesta, al crollo del ponte, al fiume che superava gli argini.

Ogni tanto pensavo a Giacomo e lo vedevo nella casa di Marinella. Quando avevamo deciso di prendere quell'appartamento, mi ero accorta che potevamo ritinteggiarlo, cambiare qualche infisso, ma la divisione delle camere era già decisa e per andare dal salotto alla cucina avrei potuto compiere solo quel percorso e nessun altro.

Immaginavo Giacomo che decideva la posizione delle luci, l'altezza delle mensole, l'orientamento dei comodini. Piccole cose, spostamenti minimi. Le stanze erano ferme, gli spazi definiti.

Il vestito lo misi di nuovo sulla sua gruccia, ci passai una mano sopra per pulirlo, e mi sembrò che il tulle mi desse una scossa, quasi fosse carico di elettricità.

Sistemai la fotografia tra le pagine di un libro che stava sulla mensola, il giorno dopo l'avrei rimessa a posto.

Spensi la lampada d'emergenza e m'infilai a letto. Le lenzuola erano umide e fredde, avevamo di nuovo chiuso finestre e persiane, ma il libeccio s'infilava dappertutto.

In lontananza montava il rumore delle onde, un rumore pieno e cupo, che la terra, quel sottile lembo di terra che era il nostro paese, pareva soltanto capace di moltiplicare con strani effetti di echi e rimbombi.

A Bocca di Magra, con il mare e il fiume, l'acqua intorno era sempre molta di piú della terra, un nastro di cemento che costeggiava l'argine e, subito dopo il ponte, si spingeva nel paese.

Dietro alle ultime case, il crinale boscoso della montagna incombeva e aumentava il senso d'isolamento. Il paese di Montemarcello restava nascosto sull'altro lato del bosco e cosí noi ci eravamo sempre un po' sentiti come se abitassimo su un'isola anche se cosí non era.

Adesso stavamo davvero su un'isola, anche se io per il momento lo ignoravo. La notte precedente, oltre al ponte, era crollata la strada che saliva lungo le pendici del promontorio, l'unica altra via che ci collegava al resto. Avrei saputo in seguito che una parte del ciglio esterno era franata, e proprio poco prima degli ultimi tornanti alcuni alberi erano caduti in mezzo alla carreggiata per via del temporale, sfondando il manto stradale.

Quella notte, quando mi coricai, ebbi netta la sensazione di essere sperduta, al centro di una sequenza di ore lentissime.

Distesa nel letto ricordo che i pensieri mi si presentavano in testa come dei lampi, e si mescolavano con le immagini piú sbilenche dei sogni, senza ch'io sapessi mai del tutto se ero sveglia o dormivo. Mi parve di veder sprofondare nel fiume nonna Fulvia con in mano la coppetta di panna, e poi pensai che nella nostra cucina di sotto l'acqua stava salendo, un'acqua densa di fango come quella che quand'ero piccola ci divertivamo a sondare con i ragazzini del paese. Prendevamo uno stecco di legno e lo immergevamo e quando lo tiravamo su era ricoperto di uno strato di sabbia grigia e granulosa, puzzava, e chi lo reggeva in mano, quel bastone, t'inseguiva minacciando di sporcarti, e faceva schifo, gridavamo, fa schifo, e scappavamo. E adesso là sotto mi immaginai le bisce dell'acqua che qualche volta avevamo visto sparire veloci sotto la scogliera degli argini; e pensai a Giacomo – o forse lo sognai – che mi cercava su e giú lungo il molo dall'altra parte del fiume, e dopo forse era su una barca, o forse la barca era quella che la mamma e io avevamo legato poco prima e che continuava a sbattere contro il lato della casa.

E poi vidi anche Pietro, ma era una cosa lontana e sorridente, come ogni volta che mi accadeva di sognarlo, una cosa che mi riempiva di struggimento e felicità, ma che scappava subito e io non riuscivo mai ad afferrare, anche se cercavo di restare addormentata.

Dopo la sera di Pietrasanta avevamo preso a vederci sempre piú spesso.

Stavo preparando gli esami per l'abilitazione all'insegnamento. Se andava tutto bene, dall'anno successivo sarei entrata a scuola. E cosí a maggio c'erano stati i pomeriggi a studiare e i nostri incontri di nascosto.

Pietro mi diceva l'indirizzo, la via, il numero civico, e io mi facevo trovare lí all'ora stabilita. Lui aveva un mazzo con tutte le chiavi e a volte ci pensavo, che lungo la costa, in certi cortili, ai terzi piani o ai quarti, c'erano un'infinità di porte che lui poteva aprire.

Di quelle abitazioni conservava le piantine in agenzia e cosí per mail mi inviava qualche giorno prima un'immagine della planimetria e a volte ci disegnava anche noi, sempre di rosso, due figurine minuscole e abbracciate, in quella che pensava essere la stanza piú luminosa.

In realtà – mi aveva detto un pomeriggio – l'agenzia non era sua, ma del padre, e lui gli stava soltanto dando una mano in attesa di partire. Faceva l'ingegnere e una ditta spagnola che progettava e costruiva ferrovie lo aveva appena assunto. Avrebbe lavorato in Argentina e Cile, diceva. E costruito chilometri di binari.

E io pensavo, va bene, lui deve partire e io a ottobre mi sposo.

Intanto ci nascondevamo insieme nelle stanze di certi casolari in collina, completamente da ristrutturare, dove l'erba entrava dalla porta e le radici avevano bucato il pavimento. O in lunghi e oscuri appartamenti di palazzi storici, coi soffitti altissimi e gli stucchi, o nei saloni delle ville liberty che affacciavano sui viali della costa, dove i proprietari avevano lasciato materassi e quadri e tendaggi. Io aprivo le finestre e me ne stavo a fissare la stoffa sfilacciata delle tende che se ne volava fuori per il vento, finché Pietro non si avvicinava, e a volte stavamo in silenzio, a guardare fuori.

Ci inventavamo le case.

– Se vivessi qui vorrei delle sdraio bianche e blu sul balcone, – dicevo.

– Ci mettiamo una vasca e la sera torniamo a casa e facciamo il bagno e io ti strofino la schiena.

– E poi?

– Ti lavo i capelli, come nei film.

Continuavamo a fare e disfare stanze, buttavamo giú muri, alzavamo pavimenti, io cambiavo tutti gli infissi e lui metteva un camino, io toglievo le piastrelle e Pietro dipingeva le pareti di tinte improbabili.

– E qui?

– Qui voglio una lampada col paralume rosso. Di quelle che poi quando le accendi diventa rossa tutta la stanza.

Ci sedevamo sulle vecchie poltrone che i padroni avevano lasciato, sugli scalini o sul pavimento.

– E il letto?

– Il letto, aspetta... Ecco, lo mettiamo qui.

– Al centro del salotto? – gli chiedevo sorridendo.

– Sí, ci sta benissimo, prova a stenderti.

Si toglieva la giacca e la buttava per terra e davvero la sua giacca in un attimo diventava un letto e noi ci sdraiavamo e prendevamo a spogliarci. E ogni volta i nostri letti immaginari cambiavano di posto, a seconda della casa, nella sala, in corridoio, nella cucina, in un solaio. Una volta ne sistemammo uno persino sulla terrazza. Inventavamo letti e facevamo l'amore.

Una sera di giugno andammo a Manarola. La casa era proprio a picco sugli scogli.

Avevo detto a Giacomo che dovevo cenare da un'amica, poi avevo preso il treno ed ero scesa nella stazione piccola e ventosa a strapiombo sul mare. Avevo percorso la discesa fino in fondo al paese e cercato il portone, che – Pietro mi aveva spiegato –, era rosso, di lato, nel carrugio.

Lo avevo trovato socchiuso, dentro l'androne era buio e fresco, e c'era subito una scala ripida che si arrampicava al primo piano. Una casa torre, con le stanze una sopra l'altra. La cucina, la camera da letto, il bagno e una terrazza sul tetto.

Pietro mi aveva abbracciato, e aveva respirato forte, affondando il viso nei miei capelli.

– Finalmente, non vedevo l'ora che arrivassi. Mi manchi da impazzire quando non ci sei.

Poi mi aveva preso per mano e mi aveva portato in terrazza. Era un quadrato piastrellato e buio. L'aria di sera era ancora fresca, ma avevamo preso a spogliarci nel nostro modo lento e affannato insieme, che era solo nostro e di nessun altro. Pietro ogni volta mi guardava con lo stesso stupore, e man mano che la mia pelle si scopriva, lui ci passava sopra le labbra ed era come se l'accendesse.

Avevamo fatto l'amore e ci eravamo morsi e accarezzati e messi a ridere e lui a un tratto aveva detto, ti amo. E io avevo ripetuto, ti amo.

Poi aveva aggiunto, vieni con me.

– Dove?

– Vieni con me a costruire le ferrovie.

Poi si era sollevato su un gomito, mi aveva sorriso e aveva detto: – Chilometri di ferrovie, arriviamo a Punta

Arenas, vediamo gli iceberg galleggiare, arriviamo al Polo e facciamo l'amore in un igloo.

– L'amore in un igloo.

– O al centro della foresta amazzonica.

Per un attimo mi vennero in mente tutti i luoghi di mia madre, quelli che controllava sulle sue carte.

– Davvero andrai nella foresta? – gli domandai.

– Sí, e alla foce del Rio della Plata e sulla cordigliera delle Ande.

– Non hai un po' di paura?

Lui rimase in silenzio, poi sorrise, ma in modo triste, tornò a sdraiarsi e sentii la sua voce che mi chiedeva:

– E tu?

Quando scendemmo di nuovo in cucina, Pietro disse:

– Guarda, c'è la pasta. E anche il sugo. Ci facciamo un piatto di spaghetti?

– Ma sei sicuro? E se se ne accorgono?

– Oh, no che non se ne accorgono. Dopo mettiamo tutto a posto. Portiamo via anche la spazzatura –. Sorrise. – Cosí avremo anche il nostro sacchetto della spazzatura, come nelle case vere.

Nelle case vere, pensai.

– Dài, – disse Pietro, – tu apparecchia. Voglio mangiare con te. Almeno una volta.

Cominciai a cercare la roba da mettere sul tavolo dentro gli sportelli. Era strano scoprire come tutte le cose – i piatti, i bicchieri e persino le posate – stavano esattamente dove anch'io li avrei messi, lo sportello in alto, il primo cassetto. Scelsi delle ciotole colorate, una rossa per me, una arancio per lui, e dei bicchieri che sembravano fatti con gli scarti di vetro di altri bicchieri e avevano venature blu e bolle verdi e improvvisi spruzzi di giallo.

– Abbiamo anche il vino, – disse Pietro, e quando ebbi finito di sistemare la tavola restai a guardarlo che calcolava la quantità di pasta e assaggiava l'acqua per vedere se era salata e preparava il sugo. Sembrava tutto cosí reale, noi due in una cucina sul mare. Fuori si sentivano ancora i gabbiani col loro verso alto, e il motore di una barca che tornava nel porto. Pietro aprí il gas, ma non si poteva accendere la luce. Era meglio se dalle case intorno non si vedeva che c'era qualcuno. Cosí quando fu pronto, mangiammo quasi al buio, se si escludeva il chiarore che veniva dai lampioni fuori. Pietro disse:

– Qui niente sculture, sai? Dovresti lavorare sodo, invece, avere un bed and breakfast e imparare il tedesco.

– Oddio, imparare il tedesco? È impossibile.

Lui sorrise. – Allora magari potresti sopravvivere andando a pesca e facendo il limoncello. Ecco, ti servirebbe una pianta di limoni e parecchio sale per le acciughe.

Tornammo da Manarola che era l'una passata. Pietro mi accompagnò in auto fino alla stazione dove avevo lasciato parcheggiata la mia.

Sentimmo un treno passare e poi un altro. Quando si avvicinavano alla stazione fischiavano forte.

– I treni della notte, – disse Pietro. – Non è bellissimo, quando passano? Li ho ordinati per te, tutti i treni della notte.

Dieci

La mamma si alzò prestissimo, dovevano essere le sei, e cosí la nonna, e sembrava che nessuna delle tre avesse dormito molto. Bisognava prendere delle cime per legare le imposte. Quando tirava il libeccio capitava che le dovessimo bloccare perché le chiusure non sempre reggevano, il sale gonfiava il legno e rendeva piú fragili gli infissi. E cosí, per un po' ci occupammo di assicurare i battenti, senza parlare, finché tutto fu a posto.

Poi ci spostammo sul ballatoio e preparammo un caffè liofilizzato scaldando l'acqua delle taniche sul piano della stufa. Quindi la mamma disse, dov'eravamo rimaste? Si mise gli occhiali, prese il libro dell'isola e cominciò:

«Frugai nelle sue tasche, una dopo l'altra. Qualche monetina, un ditale, un po' di filo e dei grossi aghi, una treccia di tabacco smozzicata da un capo, il suo coltellaccio dal manico curvo, una bussola da tasca e la scatola con l'acciarino erano tutto il suo contenuto, e cominciai a disperare».

Mentre la mamma leggeva di Jim che frugava nelle tasche del pirata ripensai alla sera prima, quando mi ero messa io a guardare nel vestito blu della nonna. Per qualche ragione mi sembrava che adesso, mentre ce ne stavamo nella penombra del ballatoio a leggere, lei potesse saperlo. Tanto piú che ancora non ero riuscita a rimettere la foto a posto, come avrei voluto. Per fortuna quella mattina la nonna aveva scelto un abbigliamento piú comodo, da casa, forse pensando che avremmo dovuto sistemare un po'.

«Ché tu saresti morta subito, in guerra», aveva detto.

Lei invece no, pensai, non moriva in guerra. Entrava piuttosto in un caffè, chiamava il cameriere e ordinava una coppetta di panna.

La mamma intanto continuava a leggere di Jim e del Pirata.

– Ma la mappa del tesoro l'hanno trovata? – domandò la nonna con una specie di attesa nella voce, quasi davvero si stesse appassionando al racconto di Stevenson.

– Arriva adesso, quando trovano il pacchetto. È nel pacchetto la mappa.

– Giusto, giusto, nel pacchetto, – disse la nonna, poi quasi subito cominciò a parlare dei pomodori. Dovevamo prenderne degli altri, li avevamo quasi finiti e con tutta quell'acqua se restavano sulla pianta marcivano.

Si alzò e andò alla finestra della sua camera. La piana di terra dove avevamo piantato i filari e le verdure restava proprio dietro alla sua stanza da letto, rialzata rispetto al giardino.

Gli spazi di quella casa erano distribuiti in modo strano, su livelli diversi e incongruenti. Era stata prima di tutto una casa di pescatori, la nostra. Al pianterreno c'erano due cucine e due sale da pranzo e due bagni, perché d'estate negli anni Cinquanta i pescatori la affittavano e si ritiravano sul retro, lasciando la parte sul fiume ai villeggianti, e quindi tutto era ripetuto. Quando l'avevamo scelta e acquistata, la mamma non aveva voluto cambiare le cose – è la sua bellezza, aveva detto –, e cosí erano rimaste le stanze doppie con la stessa identica funzione, era rimasto il capanno degli attrezzi sul retro, che era quasi un'altra casa, era rimasto il pozzo, i sottoscala, le soffitte, il ballatoio.

A volte succedeva che papà in tutte quelle stanze finisse per perderla, mia madre. La chiamava in quel labirinto di anfratti e non la trovava mai, perché – pensavo io – ogni volta andava a cercarla nei posti sbagliati. Oppure era lei che era sempre fuori posto.

Soltanto durante l'essiccazione dei funghi, chissà perché, i percorsi diventavano di colpo chiari e semplici. Mio padre aspettava le piogge di fine estate e saliva a Montemarcello a raccogliere i galletti. Li portava a casa e mi mostrava come riconoscerli dal disegno delle lamelle, o dalla grana color zafferano o dalla forma del gambo. Poi li rovesciava in cucina e dappertutto si spargeva un odore fradicio di terra e bosco.

I galletti venivano puliti, tagliati e poi sistemati con ordine meticoloso su lenzuoli bianchi, appoggiati a tavoli e tavolini. Si creava allora attraverso le stanze della casa un percorso odoroso e giallo, che sembrava poterti guidare e in quei giorni, per qualche ragione, i miei genitori lungo la distesa funghifera riuscivano sempre a ritrovarsi. La casa sembrava piú raccolta e comprensibile, e anche la loro storia.

La nonna spalancò la finestra e disse che cosí era impossibile.

– Sono troppo lontani, come facciamo a raccoglierli?

Tra il davanzale e la piana di fronte in effetti passava almeno un metro e mezzo e non sarebbe mai stato sufficiente sporgersi per raggiungere i pomodori. Molti erano caduti a terra, e anche quelli ancora sulla pianta si vedeva che bisognava prenderli o sarebbero andati in malora.

– Ho un'idea, – disse la mamma e sparí in soffitta.

Noi restammo qualche istante senza fare niente e la nonna ne approfittò per ripetere che quello era il posto piú assurdo del mondo e che non c'era verso di starci tranquilli, succedeva sempre qualcosa.

– Per forza, con tutta quest'acqua intorno. Non siamo mica pesci, – disse. – E adesso tua madre chissà che altro s'inventa... dove c'avrà la testa, sembra quasi che si diverta.

L'espressione trionfale con cui la mamma tornò da noi, brandendo in una mano il mezzo marinaio e nell'altra il retino che usava mio padre per pescare, sembrò darle definitivamente ragione: mia madre si stava divertendo.

– Dunque, – disse, – tu, Agata, reggi il retino. Bene dritto, così e io con il mezzo marinaio provo a staccarli. Poi pensiamo a quelli già per terra e in qualche modo li facciamo rotolare dentro.

Eravamo pronte, la nonna ci sorvegliava stando alle nostre spalle e intorno si era creato un silenzio teso e concentrato. Perciò lo sentimmo subito. Appena la mamma riuscí a staccare il primo pomodoro, qualcosa si mosse in fondo all'orto. Il rumore proveniva dalla parte del muro, un movimento tra le foglie della siepe.

– Cos'è? – La mamma fece scattare la lama del coltello, che restò qualche istante a scintillare in aria. Le foglie si mossero ancora, ma forse il modo in cui lo fecero, appena appena e all'altezza del sottobosco, la dovette rassicurare, perché rinfoderò l'arma e piú tranquilla concluse: – Ci dev'essere un animale, forse un gatto.

Restammo in ascolto, ma niente.

– Se è un gatto, avrà una fame tremenda e sarà fradicio, poverino.

La nonna sospirò e disse, ecco, ci mancava il gatto.

– Ma non possiamo lasciarlo lí. Prova a chiamarlo.

La mamma e io ci mettemmo a fare il verso che si fa di solito per i gatti, ma la siepe non si muoveva piú.

– Magari è un cagnetto. Il cane di qualcuno di quelli che se ne sono andati.

– Bisogna riuscire a prenderlo, – disse la mamma. – Sarà terrorizzato, dopo quello che è successo. Magari è un cucciolo.

– Magari è un topo, – disse la nonna. – Un tarpone di fiume.

In quel momento ci fu un tramestio tra le foglie e una specie di lamento, ma in effetti nessuna di noi era proprio sicura.

– Be', se è un topo dev'essere enorme, – disse la mamma, ridendo. Poi guardandomi, aggiunse: – L'unica è la passerella.

A un certo punto quando ancora avevamo la barca, papà aveva comprato una passerella. Era assolutamente sproporzionata rispetto alla nostra imbarcazione, ma lui l'aveva presa perché aveva il corrimano in acciaio e cosí io non avrei piú avuto paura. In effetti per un po' aveva funzionato.

– È in soffitta anche quella. Se mi dai una mano, Agata, la prendiamo.

La seguii, pensando che la cosa si stava mettendo male, molto male. Cosa diavolo voleva farci con la passerella e soprattutto chi avrebbe dovuto salirci?

– Ma ovviamente tu, Agata, – disse la nonna, non appena finimmo il lavoro. Un lato della passerella adesso era appoggiato al davanzale e la mamma aveva fissato dei tiranti al letto in modo che non scappasse, l'altro avanzava sulla piana per un metro almeno. La nonna mi guardò con insistenza: – Cosa pensi, che ci andiamo io o tua madre? Sei tu quella giovane.

Sí, ero io quella giovane e anche quella terrorizzata. E poi era da un po' che non si sentiva niente, in mezzo ai cespugli.

– Magari se n'è andato, – dissi.

– Magari sta morendo, – fece la mamma.

Guardammo di nuovo verso il punto da cui poco prima erano arrivati i rumori.

– Ma come faccio?

– Dài, Agata. Ti metti a cavalcioni. Basta che ti siedi da una parte e con le gambe ci sei già. Non è neanche un metro e mezzo. Vuoi che ci provo io?

– No, no, mamma. Va bene, ma voi tenetela ferma.

– La teniamo ferma. E comunque non guardare giú.

Invece ci guardai, giú, e tra la casa e la piana di fronte sciabordava l'acqua sporca della fiumana. Se fossi scivolata, ci sarei caduta dentro. Pensai alle bisce d'acqua, alla melma, ai topi enormi che nuotavano nel fiume e che la nonna aveva appena evocato.

85

– Dài, su, non avere paura, bisogna sbrigarsi.

Alla fine in qualche modo dall'altra parte ci arrivai, strisciando, appiattendomi, tremando, e raggiunsi i filari di pomodori e il punto in cui si era mosso qualcosa poco prima. Guardai tra i cespugli e non vidi niente, finché non mi accorsi che in fondo, nell'angolo piú nascosto, c'era davvero un animale. Appiattito contro la terra, tremava. Era tozzo e minuscolo, come un cucciolo di cane, e aveva quelle strisce dritte nel pelo che avevo visto qualche volta di notte, all'improvviso illuminate dai fari della nostra auto quando salivamo a Montemarcello. Ansimava, forse stava morendo.

Mi avvicinai pianissimo, mi tolsi la felpa e gliela avvolsi intorno al corpo, quindi lo trascinai fuori dai cespugli e mi sorpresi di quanto fosse piccolo e leggero.

Mi voltai verso la mamma e la nonna e dissi:
– È un cinghiale. È un cucciolo di cinghiale.

Una volta era stato attaccato nel bosco, mio padre. Era andato per funghi e aveva attraversato la gola dove c'erano i tronchi dei pini crollati e ricoperti di muschio. E a un certo punto aveva sentito un verso. Un verso profondo e ferino, diverso da tutto quello che gli era capitato di ascoltare fino a quel momento. E da dietro la macchia a un certo punto era spuntato un cinghiale. Mio padre aveva raccontato degli occhi, per qualche ragione si ricordava soprattutto gli occhi, il modo in cui il cinghiale lo fissava mentre gli correva incontro. Lui era riuscito a salire su un albero. Era stato veloce, abbastanza perché il cinghiale non riuscisse a raggiungerlo. Ma quello era rimasto per un bel po' sotto la pianta ad aspettarlo e papà aveva temuto che venisse buio e che il cinghiale non l'avrebbe piú lasciato scendere. Invece a un certo punto se n'era andato. Papà aveva aspettato ancora dell'altro tempo per essere proprio sicuro, poi, una volta a terra, era subito corso verso la strada.

Una femmina, di sicuro, aveva detto mio padre. Erano le femmine le piú feroci, ma solo se avevano i cuccioli. Allora attaccano e possono anche ammazzarti, aveva detto.

– Respira?
– Sí, ma cosa faccio?
– Ma si muove?
– Trema.
– Me lo devi passare. Agata, facciamo così, mettiti a cavalcioni sulla passerella e io provo a sporgermi e a prenderlo. Pesa?
– No, non tanto. Tipo un grosso gatto.

I gatti erano la nostra unità di misura. Nella casa sul fiume ne avevamo avuti almeno una decina, nostri o randagi. Sapevamo trattarli, salvarli, curarli, prenderli nel modo giusto. La mamma probabilmente stava pensando che se quell'affare che tenevo in braccio era piú o meno come un grosso gatto, allora ce la potevamo cavare. La nonna non so cosa stesse pensando. Da qualche minuto non diceva niente e si sporgeva a guardare.

Quando infine riuscii a passare il cinghiale a mia madre e a rientrare in casa, lo portammo sul ballatoio. Era davvero piccolo e probabilmente non mangiava niente da piú di un giorno. Forse era sceso con la madre fino ai limiti del bosco. Succedeva, soprattutto alla fine dell'estate, venivano fino alle prime case di notte a cercare un po' di cibo, a volte devastavano gli orti, a volte frugavano nella spazzatura. Forse era rimasto indietro quando aveva cominciato a piovere forte.

Il piú debole della cucciolata, pensai.

– Ci vuole il latte. Ne abbiamo, vero?

Sí, ne avevamo. Cinque cartoni a lunga conservazione. Li avevamo portati su tutti.

– Dev'esserci il tuo biberon da qualche parte, Agata. Basta ricordarsi dove.

– Il mio biberon?

87

– Sí, papà e io l'avevamo tenuto per ricordo. Insieme al primo bavagliolo, il primo paio di scarpe. Sai, quelle cose lí, il primo dente. C'era una scatola.

Era la prima volta che la mamma me ne parlava. Dunque anch'io possedevo una scatola. Solo che non conteneva misteriose fotografie, ma denti.

La mamma mi mollò di nuovo il cinghiale in braccio e salí un'altra volta in soffitta. Improvvisamente sembrava che tutte le cose importanti fossero lassú e mi chiedevo come mai fino a quel momento nessuna di noi ci fosse mai salita.

Sentimmo che trafficava e andava avanti e indietro sopra le nostre teste. Io stringevo il cucciolo. Teneva gli occhi chiusi e tremava piano. Cercai di asciugargli il pelo strofinandogli addosso la felpa, con delicatezza. La nonna lo studiava in silenzio. Poi disse, metto un altro po' di legna nella stufa, cosí fa piú caldo. E prendo una coperta.

Probabilmente la guardai un po' sorpresa, perché subito ebbe come uno scatto, e mi domandò:

– Be', che c'è?

– No, niente.

– E allora datti da fare. Non vedi che è fradicio?

Ci fu un colpo improvviso, probabilmente la mamma aveva fatto crollare qualche pila di scatoloni. Subito dopo scese la scala e arrivò col biberon in mano. Era di quelli ancora di vetro.

– Accendiamo il fornelletto e scaldiamolo un po' il latte. Come sta?

– Sta, – dissi. Aveva un odore forte di pelo bagnato e il naso, scuro e piccolo, fremeva, ma continuava a tenere gli occhi chiusi, e il corpo era come mollo, come se non riuscisse a opporre alcuna resistenza a quello che gli stava succedendo.

Quando il latte fu tiepido, la mamma lo mise nel biberon e mi disse di provare ad aprirgli la bocca. All'inizio fu piú il latte che se ne andava sul pelo e sui nostri vestiti, ma poi il cinghialetto cominciò a mordere il biberon e a inghiottire il latte.

Lo sistemammo con una coperta vicino alla stufa e per un po' non facemmo altro, restammo cosí, tutte e tre a guardare il nostro cucciolo di cinghiale, poi quando fummo sicure che si era addormentato, finimmo di raccogliere i pomodori.

Non valeva la pena ritornare sulla piana, rischiando di cadere, il metodo della mamma funzionava perfettamente. E cosí lei con il mezzo marinaio arpionava il pomodoro e tirava fino a staccarlo, io ci andavo sotto col retino e lo prendevo mentre cadeva. Quelli a terra bastava farli rotolare nella rete. Ne riuscimmo a riempire un cestino, finché non ci chiamarono dalla strada.

Undici

Era un tizio che conoscevamo di vista perché abitava in fondo, dalla parte del mare, lui e altri del paese aiutavano quelli della protezione civile. Stava sul gommone e aveva tirato una cima per ormeggiarsi al nostro balcone.

– Ho altri pacchi per voi con un po' di roba da mangiare e l'acqua.

– Del latte, ci serve del latte per bambini. Quello liofilizzato. Per neonati.

Il tipo ci guardò un po' sorpreso.

– Avete un bambino?

– No, no. Ma che bambino? È un gatto, – si affrettò a rispondere la nonna. – Abbiamo trovato un gatto. Piccolo. E ci vuole il latte per neonati quando sono cosí piccoli. Potete procurarcene un po'?

Il tipo disse che ci avrebbe provato, ma non sembrava cosí convinto. Quando piú tardi domandai alla nonna perché non gli avesse detto che si trattava di un cinghiale, lei mi rispose:

– Gli sparano, se sanno che è un cinghiale. Gli sparano e ci condiscono le tagliatelle, cosa credi? Dobbiamo tenerlo nascosto. Nessuno deve vederlo.

E cosí nelle ore seguenti ci comportammo come se il nostro cucciolo, che adesso dormiva e si scaldava vicino alla stufa, fosse una specie di clandestino.

Intanto la mamma stava domandando all'uomo come fosse la situazione.

– Dalla parte di via dell'Angelo è tutto a posto e anche al campo sportivo. Basta salire di qualche metro e non è successo niente. Verso il fiume, invece... Voi state bene?

– Stiamo bene, tutto bene, – assicurò la nonna.

– Abbiamo trovato una barca.

L'uomo guardò lo scafo che stava ormeggiato sotto il nostro balcone.

– Eh, vedo. Ne troveremo parecchie. Sembra in buono stato, però, la vostra.

La *vostra*, la mamma sorrise.

– Ricominciate?

– Sí, piú che altro cerchiamo di mettere in sicurezza le case vuote. Credo che oggi proveranno a buttare giú le paratie in fondo al paese, cosí almeno l'acqua riesce a defluire. Ma non sarà una roba semplice. È tutto bloccato e non sanno come portare la gru per la demolizione. Per le chiatte il mare è ancora troppo agitato.

– Ma il ponte? – gli domandò mia madre.

– Colpa del fiume, che non l'hanno dragato, – disse l'uomo. – Si è accumulato il fango, e i tronchi che sono arrivati giú con la piena hanno spinto sul pilone, il pilone centrale, per via della corrente e delle onde che risalivano il fiume dal mare. Ha preso a creparsi, meno male se ne sono accorti in tempo e l'hanno chiuso –. L'uomo fece una pausa, come se stesse rivedendo la scena, poi continuò: – L'acqua è tanta, anche dalla parte di Fiumaretta, non sappiamo quando comincerà a ritirarsi. Il livello è un po' sceso, ma tutto dipende dalle paratie. Se riusciamo a demolirle, dovrebbe essere piú veloce la faccenda. Almeno quella dell'acqua. Poi si dovrà lavorare parecchio col fango, e il ponte chissà quando si potrà rimetterlo in piedi, dovreste vederlo. Da vicino fa impressione.

– E i nostri vicini? Quando li faranno tornare? Abbiamo visto la signora Nitti e la Giovanelli e la Castagna che le portavano via ieri sui gommoni.

– Le abbiamo salutate. Abbiamo cercato di salutare

tutti, – aggiunse la nonna, e nessuno di noi capí cosa intendesse esattamente.

L'uomo ci assicurò che sarebbero rientrati presto, appena passata l'allerta.

– Ma solo chi ci abita. Hanno deciso che possono attraccare quelli dei soccorsi e le squadre degli operai e i residenti, ma nessun altro. Altrimenti c'è sempre qualche curioso…

Pensai che Giacomo non lo avrebbero fatto arrivare, mi ero immaginata che già dal giorno dopo l'esondazione ci saremmo visti o sentiti in qualche modo e invece, dato che la luce non tornava e le linee telefoniche erano fuori uso, ci sarebbe voluto di piú.

Erano trascorsi due giorni da quando il fiume era esondato, e io non avevo potuto comunicare con lui, non sapevo cosa pensasse o cosa si immaginasse, non sapevo neppure se quelli della protezione civile fossero riusciti ad avvertirlo, e questo rendeva tutto lontanissimo. Lontanissimo il mio matrimonio e il momento in cui avevo deciso di sposarmi. Era come quando ti sembra di dover fare qualcosa, ma non ricordi piú cosa.

Neppure la nonna e la mamma ne parlavano mai. Dopo la prima sera, quando la nonna mi aveva detto, mi sa che non riuscirai a sposarti domenica prossima, non ne avevano piú fatto cenno ed era diventato ancora piú difficile crederci.

– Oggi va a Fiumaretta? – domandai. – Potrebbe mica lasciare un messaggio per il mio ragazzo? Che stiamo bene e che abbiamo deciso di rimanere qui.

Cosí, se quelli della protezione non erano riusciti a parlarci, lo avrebbe potuto fare quell'uomo. Non sapevo neppure io perché fossi tanto preoccupata che qualcuno tranquillizzasse Giacomo. Forse dentro di me pensavo che se ci avesse sapute al sicuro, non avrebbe cercato di venire, e neppure avrebbe tentato di contattarmi o di farmi avere dei messaggi. Tutto sarebbe rimasto ancora sospeso per un po'.

Poi pensai che non era affatto detto che Giacomo fosse dall'altra parte del fiume ad aspettare. Era successo nel mio sogno, ma adesso con la luce sembrava tutto diverso, piú tranquillo, e meno semplice.

E allora lo dissi, dissi che non ero sicura lui ci fosse e l'uomo rispose che qualcuno andava e veniva sempre da dove erano sistemati gli sfollati e avrebbe passato parola. In un modo o nell'altro il mio ragazzo lo avrebbe saputo, magari lo sapeva già. Il giorno prima avevano spiegato la situazione a chi era venuto a chiedere notizie.

– Ma se vuoi, ti posso anche portare con me dall'altra parte.

Ci fu un momento di silenzio in cui sentii gli occhi della mamma e della nonna addosso. Feci di no con la testa, non c'era bisogno, preferivo stare in casa tutte insieme.

Sembrava vero, ma sapevo benissimo che la nonna e la mamma se la sarebbero cavata ugualmente anche se fossi mancata un paio d'ore. Comunque tutti fecero finta di crederci. Presero a parlare di nuovo, degli argini che venivano giú con la corrente.

Non riuscivo a capire perché avevo detto di no. E lo avevo detto subito e in fretta. Avrei potuto andare e spiegargli i motivi per cui la mamma e la nonna avevano deciso di restare a Bocca di Magra. Magari avrebbe potuto darmi qualcosa, che so, da mangiare, da bere. Delle cerate per isolare meglio le finestre – l'aveva detto giusto quel mattino, la mamma, se solo avessimo della plastica da mettere intorno agli infissi.

Perché non lo raggiungevo, perché non andavo a terra? Giacomo me lo avrebbe domandato quando ci saremmo rivisti. Molti di quelli che avevano deciso di rimanere in casa avevano fatto dei viaggi insieme agli uomini della protezione. Io invece mi stavo rintanando in quel tempo sospeso. Un tempo in cui non avevo bisogno di prendere alcuna decisione, di fare niente, neppure, in un certo senso, di pensare a niente.

L'acqua del fiume rendeva il legame con la realtà molto incerto. Sotto le nostre finestre scorrevano i mobili e gli scafi rovesciati, c'erano le bacinelle dei panni in mezzo alla corrente, le gomme, le sedie, gli ombrelloni e i comodini, ed era difficile stabilire un ordine tra le cose, credere come al solito nel tempo e nello spazio e in certe leggi stabili.

Il giorno dopo Manarola, mi ero svegliata tardi. Era domenica, una domenica di giugno, e io ero rimasta a letto, a rigirarmi in un sonno strano, caldo, appiccicoso. Avevo sentito suonare da giú e poco dopo la mamma mi aveva detto, guarda che c'è Giacomo. È venuto a prenderti.

Allora mi ero fatta una doccia, in quel periodo mi sembrava di avere sempre addosso l'odore di Pietro, e mi strofinavo a lungo con il sapone per paura che qualcuno se ne accorgesse, mi ero vestita in fretta ed ero scesa.

Sul tavolino nel patio c'erano il caffè caldo, le marmellate e il pane abbrustolito. Giacomo stava raccontando qualcosa, forse di divertente perché la mamma rideva. Avrei voluto restare cosí, a guardarli senza che accadesse nient'altro, senza che mi vedessero. La mamma che versava a Giacomo dell'altro caffè, lui che la ringraziava, la nonna che spalmava una fetta col burro. Il bricco con l'aranciata al centro del tavolo. L'ombra del noce che si allungava oltre il bordo del pergolato e tutt'intorno l'aria chiara, mossa da una brezza leggera che increspava appena la superficie del fiume, celeste carico davanti casa.

Poi si erano accorti di me.

Giacomo mi aveva detto, buongiorno principessa, ti sembra l'ora di alzarti? E poi aveva aggiunto:

– Dobbiamo andare alla casa, hanno finito la parete in vetrocemento, te la voglio fare vedere. Adesso abbiamo anche un ingresso –. Sorrise, era stata una sua idea, non gli piaceva che dalla porta si entrasse subito in salotto e cosí aveva pensato di far costruire una separazione.

Il vetrocemento lascia entrare la luce, aveva detto, vedrai che bello.

Cosí quel mattino avevamo finito di fare colazione, e poi la mamma ci aveva domandato cosa avremmo fatto quel giorno.

– Andiamo fuori a pranzo? – aveva proposto Giacomo.

– Sí, se vuoi.

– Passiamo dalla casa e dopo a Portovenere.

– Ci portiamo il costume?

– Sí, dài, cosí possiamo scendere anche in grotta Byron, e ci fermiamo fino a stasera.

Cominciai a sentirmi addosso una strana energia e forse fu quel mattino, proprio quello, il piú felice. Il piú felice di tutta l'estate e forse anche di tutta la mia vita. Pensavo alla sera prima, alla terrazza di Manarola, al modo in cui mi faceva sentire ogni volta Pietro, cosí sensuale, spregiudicata e, chissà perché, coraggiosa. Pensavo a quando mi aveva detto, ti amo, a quando mi aveva regalato tutti i treni della notte, a quando si era messo a cucinare gli spaghetti e avevamo mangiato al buio, e poi guardavo questa mattina d'inizio giugno, la colazione all'ombra, l'azzurrità che si spandeva intorno, Giacomo che mi chiamava principessa, e pensavo che potevo avere tutto, l'ebbrezza che mi dava Pietro, la sua passione, e la sicurezza con cui Giacomo sapeva avvolgermi. Potevo essere tutto, io che attraversavo la piazza, io che mi sposavo, io che avevo una casa con un ingresso, quasi che l'amore di Pietro e l'amore di Giacomo mi moltiplicassero come fa l'acqua con le cose, con il cielo, e le case e la luce, e tutto c'è due volte e c'è dappertutto. Era cosí, mi sentivo dappertutto.

E per quanto assurdo fosse, in quell'attimo mi era parso vero, che ogni cosa potesse esistere senza toccarsi, o sovrapporsi, o farsi male.

La mamma, a un certo punto, mi aveva guardato e aveva detto: – Sei radiosa stamani. Dài, finite il caffè e andate, che è una giornata stupenda.

– Mi fai guidare? Ho voglia di guidare io.

Giacomo mi aveva lasciato il posto e mentre percorre-vamo l'ultimo pezzo di lungofiume, mi aveva detto:

– Ti ricordi quando ti insegnavo?

– Sí, in questa strada, che poi tra l'altro è anche tut-ta curve.

– Eri terrorizzata, ma io no. Guidavi benissimo e lo sapevo.

– E infatti neanche stavi attento, leggevi... cosa leggevi?

– Le poesie di Catullo. Le stavi studiando al liceo e me le avevi portate. Odi et amo. Mi ricordo sempre so-lo questo.

– Tutti si ricordano sempre solo questo. E poi quando mi si era spento il motore di colpo? E non riuscivo piú a mettere in moto perché dietro mi suonavano tutti? Alla fine sei sceso e abbiamo cambiato di posto.

– Comunque poi ce l'hai fatta e la sera siamo tornati a casa con te al volante. Mi piace vederti guidare, mi fa sempre venire in mente quel giorno.

C'era stato un momento di silenzio, poi Giacomo mi aveva chiesto, ti sei divertita ieri sera con la tua amica? Dove siete andate a cena? E io avevo detto di sí e mi ero inventata un posto. E poi avevo subito aggiunto:

– E oggi dove andiamo?

– Nel carrugio?

– Sí, mi piace il posto nel carrugio. Fanno il polpo, vero?

– Sí, il polpo e anche le acciughe.

Ecco, ti servirebbe una pianta di limoni e parecchio sale per le acciughe. Cercai di scacciare la voce di Pietro dalla mia testa, sorrisi.

Arrivammo a Marinella, entrammo nell'appartamento. La parete era subito dopo la porta. Si alzava improvvisa e il cemento sembrava molto pesante. Giacomo aveva aper-to la finestra e mi aveva detto, vedi, come la luce ci passa attraverso? Ma a me sembrava solo che il vetro ondulato la rallentasse la luce, la rompesse e deformasse, e alla fine non la facesse arrivare davvero.

– Ti piace?

– Sí, certo, – avevo detto, ma poi di colpo, mentre fissavo le fughe bianche e i mattoni di cristallo spesso, mi era sembrato di non riuscire a respirare. Forse ero diventata piú pallida, forse il mio corpo aveva ondeggiato per un momento perché Giacomo mi aveva chiesto, che c'è?

– Niente, è solo che fa un po' caldo.

– Certo, è normale. Resta sempre tutto chiuso in questi giorni.

– Sí, probabile.

– Ma ti piace?

– Molto, sí. Entra tanta luce, hai ragione.

– Ed è anche resistente, – disse lui, stringendomi a sé.

– Andiamo? Mi manca un po' l'aria.

Richiuse l'appartamento e raggiungemmo la macchina. Ma non avevo piú voglia di stare al volante.

– Non ti preoccupare, guido io.

Prese la litoranea che costeggiava il golfo di La Spezia e ogni tanto apriva a panorami marini e inaspettati, lui seguiva le curve della strada con un'attenzione speciale, si sarebbe potuto quasi parlare di dolcezza. Chiusi gli occhi, mi sembrava di cadere, ma in modo lentissimo.

Non parlammo quasi durante il tragitto, lui dovette pensare che mi fossi addormentata.

Il locale a Portovenere era scuro e fresco, una specie di cantina. Ci sedemmo e Giacomo mi domandò:

– Cosa mangi, allora? Vuoi le acciughe?

– No, le acciughe no, – risposi troppo in fretta, la voce uscí secca. Cercai di addolcirla e aggiunsi: – Prendo il polpo. Preferisco.

Per il resto del pranzo continuò a sembrarmi che ci fosse una specie di resistenza in quella giornata. Lo splendore che mi aveva invaso al mattino si era come prosciugato e al suo posto era rimasto qualcosa di arido e grinzoso, che impediva alle cose di scivolare come avrebbero dovuto. A grotta Byron il vento tirava nella direzione sbagliata e a riva e nelle insenature tra le rocce galleggiava qualche sacchetto di plastica e un po' di schiuma. Facemmo un bagno veloce, poi ci addormentammo al sole e di nuovo il mio sonno fu confuso, appiccicoso. Quando mi svegliai, vidi che Giacomo mi stava guardando. Mi fissava con un'aria strana, sforzandosi di sorridere.

Tornammo a Bocca di Magra che erano le sette passate, avevamo la stanchezza del mare addosso, e una scontentezza reciproca, lo sentivo, che ci rendeva un po' imbarazzati e frettolosi.

Mi lasciò davanti a casa, ma io invece di entrare aspettai di vederlo sparire e poi attraversai la strada per raggiungere la riva del fiume. Il Magra adesso scorreva lento come se la corrente avesse perso tutta la forza. L'acqua era verde, con dei riflessi oleosi e celesti nel mezzo, e mi afferrò una specie di affanno, volevo che quella giornata finisse ma c'era ancora luce e il tempo sembrava non passare mai. Mi misi a camminare in fretta, sempre piú in fretta, verso la foce e certi tratti quasi correvo e alla fine mi ritrovai sulla spiaggia, senza fiato.

Il giorno dopo non sarebbe stato bello, il cielo si era incupito e la sabbia adesso era tutta in ombra. La casa spiccava in fondo, silenziosa e disabitata, bianca come sempre. La raggiunsi e mi misi a cercare il punto dove tanti anni prima scavalcavo, perché lí la rete era strappata e inclinata e ci si poteva passare.

Quando lo trovai mi sembrò impossibile che nessuno ancora avesse aggiustato quel pezzo di recinzione, che non se ne fossero accorti. Andai dall'altra parte e poi fino alla porta che restava aperta e quindi dentro la Casabianca. Salii al primo piano ed entrai nella camera col balcone, quella in cui andavo sempre, al liceo. Mi sedetti per terra, sullo scalino del terrazzo e solo a quel punto, finalmente, mi calmai.

Il mare era una distesa opaca e infinita, colore del ferro. Faceva un rumore appena percepibile infilandosi tra gli scogli. E mentre me ne stavo lí mi tornò in mente una cosa a cui non avevo piú pensato da molto tempo, di quando mia madre mi portava alla spiaggia e diceva, andiamo dove inizia il mare. Per un po' ci avevo creduto davvero, che quello fosse il punto esatto in cui il mare, tutto il mare, iniziava.

Subito dopo la foce del nostro fiume, subito dopo la Casabianca.

Dodici

L'uomo sul gommone finí di spiegarci degli alberi lungo la strada che portava a Montemarcello, della parte che aveva ceduto, e la nonna d'un tratto disse: – Questa storia del fiume, e poi uno si ritrova anche cose che non c'entrano –. Ci fu una pausa e lei quasi subito aggiunse: – Mia figlia e mia nipote dovevano portare su gli oggetti importanti e invece hanno messo in salvo roba inutile e là sotto c'è ancora un quadro a cui tengo molto, sa? Un Monet.

Detto cosí sembrava che possedessimo l'originale dei *Papaveri* e forse anche per questo l'uomo si offrí di scendere al primo piano e di andare anche con l'acqua alta a recuperarle il quadro, ma la nonna disse che assolutamente no, non lo avrebbe permesso. Il giorno dopo lo avrebbe recuperato lei stessa, quando l'acqua si fosse ritirata. Ormai quel che doveva succedere era successo.

Poi come tra sé, ripeté: – Hanno portato su solo un sacco di cose inutili, che uno ne faceva a meno.

Fu soltanto allora che, seguendo la traiettoria del suo sguardo, mi accorsi che si riferiva alla scatola delle fotografie. Era ancora al centro del ballatoio, evidentemente l'aveva rimessa dove si trovava.

Quando l'uomo sul gommone se ne andò, la mamma e la nonna si ritirarono dentro. Io mi trattenni in camera, dovevo sistemare le cose, riportare la foto al suo posto. Ma prima di restituirla la volli guardare un'ultima volta. La nonna nel caffè a mangiare la panna, la nonna che sorrideva. E mentre continuavo a guardare, oltre la porta della mia camera esplose improvviso l'assolo della *Madama Butterfly*.

Alla nonna piaceva soprattutto il modo in cui le eroine morivano.

Quando Madama Butterfly si trafiggeva il collo con un coltello o Violetta cadeva morta sul canapè o la Tosca si gettava da Castel Sant'Angelo, lei diceva: «Senti, senti che bella quest'aria!»

Uscii dalla stanza e la trovai che canticchiava accanto all'apparecchio dei cd.

– Dove hai preso le pile?

– Le ha trovate tua madre, ma tanto ora abbiamo le lampade di emergenza e non ci servono piú per la torcia, perciò posso ascoltarmi un po' di Puccini.

La nonna adorava l'opera e nei passaggi che le piacevano di piú alzava il volume. Adesso era al massimo, e io per un momento pensai a che effetto avrebbe fatto agli uomini che andavano su e giú con le barche il crescendo della melodia che veniva dalla nostra casa, tanto piú che poco prima la nonna aveva detto indicando il cinghiale, puzza un po', vero? E aveva aperto tutti i vetri per dare aria, visto che la stufa già scaldava.

Il cinghialetto se ne stava raggomitolato nella sua coperta, da quando gli avevamo dato il latte non si era piú mosso. Mi avvicinai per controllare se era ancora vivo. La schiena si sollevava appena, a intervalli, e ogni tanto nel suo respiro c'era come una strana rincorsa, un affanno improvviso.

Non avevo mai visto un animale selvatico da vicino. Qualche volta di notte si sentivano, qualche volta si trovavano per la strada, ma scappavano subito. Mi faceva un effetto cosí strano che accanto alla nostra stufa ci fosse un cinghiale. Continuavo a pensare, non è un gatto. Gli diamo del latte, gli facciamo una specie di cuccia, ma non è un gatto, è un cinghiale e diventerà come quello che ha rincorso mio padre, e a quel punto cosa ne faremo? Mi accucciai e provai a toccarlo, i peli sul dorso ebbero un fremito e io mi ritrassi subito.

– Qui è bellissimo, ascolta, – disse la nonna sollevando in aria la mano e agitandola al suono dei violini. Lo faceva ogni volta, anche quando d'estate la mamma comprava i biglietti e andavamo tutte e tre a Torre del Lago a vedere i soprani e i tenori dal vivo. Per tutto il tempo, seduta nella sua poltrona, la nonna muoveva le mani come se fosse lei a dover dirigere l'orchestra. Dirigeva e diceva sempre tre cose:

«Senti, senti che bella quest'aria!»

«Guarda che costumi magnifici!»

«Ma quanto sarà costata? Ma ci staranno dentro?»

E si perdeva in calcoli molto complicati per vedere se moltiplicando il prezzo del biglietto per il numero degli spettatori si poteva arrivare a pagare tutti i cantanti e i costumi, operazione che ogni volta non portava a nessun risultato ma che aveva il potere di distrarla e di indispettirla, subito dopo, per essersi persa quel passaggio o quel vocalizzo.

Intanto Madama Butterfly stava dicendo che un bel dí avremmo visto il fil di fumo sollevarsi sull'estremo confine del mare e poi la nave apparire, mentre il cinghiale continuava a respirare piano accanto alla stufa.

La nonna intonò:

«Chi sarà? Chi sarà? E come sarà giunto?... Che dirà? Che dirà? Chiamerà Butterfly dalla lontana... Io senza dar risposta me ne starò nascosta un po' per celia... e un po' per non morire...»

Mi voltai verso il fiume e per un momento ebbi l'impressione che lo stesso struggimento di Cho-Cho-san si stesse trasmettendo alle cose, ai tronchi degli alberi che scivolavano verso la foce, a un pezzo di armadio che proprio in quel momento stava galleggiando a pochi metri dalla nostra casa.

Trascorremmo il resto della mattinata cosí, sul ballatoio, con Puccini in sottofondo. La mamma faceva i solitari con le carte, io leggevo e ogni tanto riattizzavo il fuoco della stufa e la nonna sceglieva i pomodori migliori tastandoli a uno a uno, li tagliava a pezzetti e li sistemava con aglio e basilico in una terrina. Quand'ebbe finito, vidi che si allontanava in bagno per sciacquarsi le mani con l'acqua della tanica, e allora corsi veloce in camera sua per nascondere di nuovo la foto nella tasca dell'abito blu.

Verso l'una, mentre Pinkerton portava la povera Cho-Cho-san al suicidio, allattammo il cinghiale.

La mamma disse:

– Bisogna capire se è maschio o femmina, cosí gli diamo il nome –. Si avvicinò al cucciolo, gli sollevò la coda e dopo un attimo concluse: – Secondo me è femmina.

– Allora la chiamiamo Madama Butterfly, – decise la nonna.

Dopo pranzo appena la nonna si coricò, andai a guardare nella sua scatola di latta. Mi misi a studiare una per una le fotografie sotto gli occhi di mia madre, che ogni tanto scuoteva il capo con un misto di sufficienza e disappunto.

Certo, anche quel pomeriggio, se fossi stata maggiormente attenta, mi sarei resa conto che non era proprio disappunto, il suo. Ma io ero cosí presa dalla scatola che quasi non la guardavo.

Dentro non c'era altro, solo una serie interminabile di scatti di famiglia. Nessun misterioso fotografo riflesso negli specchi, nessun dettaglio che potesse rivelare altri segreti.

– Qui non c'è proprio niente, – dissi.

– Be', cosa ti aspettavi?

Cosa mi aspettavo? Non lo sapevo di preciso.

Mi alzai e tornai verso il balcone.

Il vento stava aumentando di nuovo. Per tutta la mattina i mezzi del soccorso erano andati avanti e indietro sul fiume e in qualche modo erano riusciti a far arrivare una chiatta da monte e a farla passare, nonostante le parti crollate del ponte occupassero il letto del Magra. Dall'altra sponda, da Fiumaretta, stavano tentando di caricare la gru con la palla per la demolizione, ma le cose dovevano essere piú complicate del previsto, perché laggiú l'argine, anche se piú alto, era in parte crollato e l'acqua aveva invaso la piana fino quasi alla strada. Con il livello dell'acqua che superava i marciapiedi, non era immaginabile che i mezzi riuscissero a portare la gru, e d'altronde non si poteva neanche far navigare la chiatta da Marinella o Marina di Carrara, perché c'era ancora mare grosso.

La superficie dell'acqua che circondava la casa si increspava secondo le folate, ogni tanto delle piccole onde sbattevano contro i muri proprio sotto di me, e la barca che avevamo ormeggiato al balcone tirava e strattonava le cime. La nostra abitazione sembrava uno scoglio, e per un momento immaginai che tra non molto le patelle e i pomodori di mare si sarebbero attaccati intorno agli infissi e alle finestre e dietro ai cuscini del divano avrebbero fatto la tana i polpi. Mi figuravo una distesa di anemoni di mare crescere sul tappeto del salotto.

Tornai sul ballatoio e iniziai a rimettere le cose dentro la scatola. Non avendo trovato niente, stavolta avrei lasciato perdere se non mi fossi accorta che a un ritratto di famiglia – uno di quelli che avevo già visto e scartato – era rimasta attaccata una cartolina. I bordi combaciavano e la carta si era incollata per l'umidità alla foto.

Sul timbro postale scolorito riuscii comunque a distinguere l'anno, il '47, maggio 1947, e la città da cui arrivava, Torino. Torino, proprio come la chiave dell'Hotel San Giors.

C'era scritto solo l'indirizzo di mia nonna e poi nello spazio bianco niente. In un primo momento pensai che il testo si fosse cancellato col tempo, anche se era strano dal momento che l'indirizzo si vedeva benissimo. Ma invece no, non c'era davvero nessuna traccia, né solco. La cartolina era stata spedita cosí, senza saluti o messaggi.

La grafia con cui era stato scritto l'indirizzo non mi sembrava quella del nonno. Lui aveva una scrittura forte, tonda e ondulata. Invece questa era una scrittura di picchi scoscesi, magra, puntuta. Maschile comunque.

Provai a staccare piano la cartolina dalla foto. Non volevo che si strappasse, ma in un punto accadde comunque e restò un panorama a metà. Ben singolare, perché si vedeva l'imbocco di una via stretta, una specie di mercato, un palo della luce e una serie di case basse che scendevano lungo la strada. La strada sembrava un po' in pendenza.

Guardai a lungo l'immagine, non c'erano monumenti né angoli riconoscibili e gli edifici e il mercato in mezzo non dicevano granché e neppure c'era qualcosa di particolarmente bello. Quindi un uomo aveva spedito a mia nonna da Torino, la stessa città da cui arrivava la chiave 14, una cartolina brutta senza scriverci niente sopra.

Ma poi mi accorsi della finestra. La finestra al secondo piano di un'abitazione sulla sinistra. Era cerchiata: un segno rosso fatto intorno con una penna, dunque la cartolina era stata scelta e spedita solo per quella finestra.

Ma perché?

Mia nonna era stata in quell'appartamento?

Mi aveva detto che né lei né il nonno avevano mai visto Torino. Forse c'era stato l'uomo che le aveva mandato la cartolina. Magari dietro quella finestra ci abitava, e voleva che mia nonna lo sapesse.

Mi voltai verso mia madre. Era rimasta accanto a me, seduta su una sedia. Stava facendo un solitario e ogni tanto controllava Madama Butterfly.

Le dissi: – Guarda, un tizio ha spedito una cartolina alla nonna. Arriva da Torino. Ti ricordi? Come la chiave che abbiamo trovato ieri sera.

Mia madre sollevò appena il capo, poi tornò a girare le carte. Mi avvicinai:

– Guarda questa finestra, vedi? L'ha cerchiata, come se fosse importante. Ma secondo te perché?

La mamma scrollò le spalle e disse:

– Magari la voleva comprare. Cioè, comprare l'appartamento, non la finestra –. Sorrise.

– Chissà chi è stato a mandargliela.

– Sarà stato qualche cugino...

– Ma non ti sembra strano?

– Cosa Agata?

– Ma come, cosa? Che un tipo mandi alla nonna una cartolina con una finestra e che non si firmi, e che la nonna ieri abbia nascosto una foto in tasca e che nella foto ci sia il riflesso di un uomo che non conosciamo?

– La nonna era piena di cugini.

– Ma smettila con questi cugini. Cosa vuol dire che era piena di cugini?

La mamma si limitò a scrollare di nuovo le spalle e concluse:

– Mah, non so.

Presi la cartolina e me la portai in camera. Misi tutto nel cassetto dello schedario, dove c'era già la chiave dell'Hotel San Giors. Ero certa che c'entrassero una con l'altra, anche se in realtà tra la cartolina e la chiave dovevano essere passati molti anni, perché se la cartolina era del '47, la chiave invece, con quel suo batacchio di plastica rosso, sembrava piuttosto avere a che fare con gli anni Sessanta.

E però non mi sembrò cosí importante, piuttosto mi persuasi subito che l'uomo nel riflesso dello specchio fosse lo stesso che aveva scritto a mia nonna e che in qualche modo sempre lui avesse anche a che fare con la stanza 14 dell'Hotel San Giors. Aveva avuto un momento di esitazione, la nonna, quando le avevo chiesto la chiave, come se non volesse darmela. E poi era diventata subito sfuggente.

Cosí alla fine mi convinsi che fosse tutto collegato. E se me ne convinsi, fu di sicuro perché la chiave del San Giors mi faceva pensare a Pietro e alle sue, di chiavi, che aprivano un'infinità di porte e la finestra nella cartolina di Torino, alle nostre finestre, quelle che avevamo spalancato, a cui ci eravamo affacciati e dietro a cui Pietro e io avevamo fatto l'amore. Per un momento le immaginai cosí, tutte cerchiate con un segno rosso.

Una sera avevamo raggiunto una casa in mezzo alla campagna.

– Vieni a vedere cos'ho trovato, – mi aveva detto Pietro.

La casa era bassa e lunga, dietro aveva il fienile e tutto intorno cresceva il granturco. C'erano i pini marittimi alti a segnare il confine delle diverse proprietà.

Pietro aveva esplorato la parte sul retro, mentre io ero rimasta sdraiata su un'amaca che pendeva tra due alberi. Alla fine era spuntato reggendo per il manico una vecchia radio portatile.

– Vediamo se funziona.

Avevamo trovato una presa in cucina.

– Aspetta, attacco la luce. Ma non accendere. È solo per la radio.

Lo avevo aspettato al centro della stanza. In quella casa un paio di finestre erano state rotte e dentro arrivava l'odore della terra e il frinire delle cicale. Ogni tanto in mezzo al buio pulsava una lucciola.

Pietro era tornato in cucina, aveva acceso la radio. All'inizio non sembrava funzionare, gracidava e non si riusciva a sintonizzare la frequenza, poi avevamo trovato un paio di stazioni in cui parlavano e solo alla fine una musica. Non mi ricordo che musica fosse, ma era abbastanza lenta perché Pietro mi cingesse i fianchi e insieme ondeggiassimo al buio.

– Io tornerei la sera e ti troverei qui, – mi aveva sussurrato all'orecchio. – Il camino acceso, i vetri appannati. Avremmo materassi pieni d'erba e pane fatto in casa da mangiare.

– Perciò, dopo le acciughe e il limoncello, dovrei imparare anche a fare il pane? – gli avevo domandato sorridendo.

– Va be', possiamo anche comprarlo.

– E poi?

– E poi ti farei ballare e ti sbottonerei piano il vestito, vedi? Cosí, un bottone e poi l'altro...

– Un bottone e poi l'altro.

– Rimarresti in sottoveste. Indosseresti una sottoveste bianca di cotone se abitassimo qui.

– Se abitassimo qui, – avevo ripetuto e avevamo continuato a ballare insieme e ci eravamo spogliati e avevamo fatto l'amore per terra accanto al camino immaginandolo acceso.

Quell'estate avevo imparato a inventare percorsi, commissioni, tragitti e imprevisti. La realtà diventava discontinua, vi si formavano delle anse, delle pieghe in cui diventava facilissimo rifugiarsi e dove nessuno, a quel punto, poteva trovarmi. Avevo scoperto com'era semplice piegare il tempo, infilarcisi dentro, dire che ero in un posto e andare in un altro. Lo facevo con tutti, con Giacomo, con mia madre, con la nonna, qualche volta persino con Pietro. Mi nascondevo nelle lunghe ore di giugno anche quando non ce n'era bisogno, solo per sperimentare il mio potere: facevo succedere cose che non accadevano e ne cancellavo altre.

Spesso andavo alla Casabianca, avevo ripreso a tornarci soprattutto di sera o al mattino presto, quando sulla spiaggia non c'era ancora nessuno che mi potesse vedere. Ci andavo per pensare a Pietro, a quando lo avrei rivisto, ci andavo per immaginare il giorno in cui Giacomo e io ci saremmo sposati, ci andavo per stare da sola e provare di nuovo a sentire che tutto era possibile, che potevo avere ogni cosa.

Pensavo alla volta in cui Giacomo mi aveva comprato in farmacia i cerotti tondi perché avevo una sbucciatura dietro al tallone, di quando per la prima volta mi aveva baciato sul molo o di quando eravamo stati alla grotta della Baia Blu e mi aveva spiegato come dovevo fare a entrare, aspettando che la corrente s'incanalasse. Ripensavo ai giorni che avevamo trascorso insieme, e provavo una voglia improvvisa e struggente di vederlo. E poi pensavo a Pietro, al modo in cui le sue mani accarezzavano il mio corpo e lo accendevano piano, alle nostre case inventate, alle vite che ogni volta lui escogitava per me. E di nuovo ottobre diventava una cosa improbabile e a me sembrava di poter restare per sempre in quell'estate calda, la piú calda da diversi anni, dicevano i meteorologi.

Oppure me ne rimanevo soltanto seduta per terra, nella stanza con il balcone a leggere, a fissare il mare o i giochi di luce che il sole disegnava sulle pareti e che da ragazzina mi piaceva fotografare. Una volta mi era venuta voglia di cercare l'Olympia di mio padre. Ma non l'avevo trovata, forse stava nella rimessa, forse in soffitta. Avevo lasciato perdere senza chiederlo alla mamma o alla nonna, perché nessuno doveva sapere né dei libri che leggevo, né dei sogni che avevano ricominciato a girarmi in testa, e neppure che ogni volta alla Casabianca finivo per pensare a quando avevo davvero creduto di poterci abitare, un giorno.

Certi pomeriggi prendevo il sentiero che partiva da dietro la casa e raggiungevo, attraverso il bosco, Montemarcello, per poi scendere dalla parte opposta, facendo i novecento scalini di corsa fino alla spiaggia di Punta Corvo. Arrivavo accaldata, ansimante, senza fiato e con le gambe che quasi mi tremavano. Mi buttavo in mare, andavo sott'acqua, riemergevo e quando uscivo mi sdraiavo sui sassi roventi.

Ero presente, consapevole delle mie braccia, delle gambe, della pancia e della schiena che, a occhi chiusi, sui sassi, sembrava estendersi all'infinito con un movimento torrido e lento.

Lo stesso corpo che aveva attraversato la piazza di Pietrasanta in diagonale, e lungo quella traiettoria aveva iniziato come a rapprendersi, ora si accendeva negli appartamenti disabitati con Pietro, si tuffava in mare in fondo ai novecento scalini, scavalcava la rete e si sdraiava nella Casabianca. Era come se mi abitassi per la prima volta, come se il corpo avesse preso il sopravvento.

In quel modo erano passati giugno e metà luglio.

Tredici

Il pomeriggio la mamma riprese a leggere *L'isola del tesoro*.

Jim si stava imbarcando e tutto lasciava credere che tra non molto avrebbe incontrato per la prima volta il pirata Long John Silver. Guardavo la nonna e continuavo a domandarmi chi fosse l'uomo che le scriveva oltre i vetri di quella finestra.

E il nonno? Aveva mai saputo di quella foto nel caffè? E della cartolina? Nel '47 mia madre aveva sei anni e i suoi erano sposati da piú di otto.

Ripensai a com'erano insieme. Ricordavo in particolare la quotidianità perfetta, scandita da un'infinità di abitudini precise, di rituali. Il borotalco sul piano del lavandino con cui si cospargevano la pelle dopo aver fatto il bagno, le canottiere bianche di mio nonno in fila sul termosifone perché lui potesse indossarle calde, l'attenzione con cui la nonna gli cucinava la pasta fritta, tonda, soltanto per lui, mentre agli altri la tagliava in figure sbilenche e appuntite, rombi, quadrati e triangoli. Non so perché, ma nelle circonferenze alimentari io rintracciavo tutto l'amore di mia nonna per suo marito.

E dunque? Il tizio della cartolina che c'entrava?

Cosa c'entrava nel loro amore che ai miei occhi era sempre sembrato perfetto, proprio come il cerchio della pasta fritta?

Certo, mio nonno navigava, era spesso lontano da casa, e durante la guerra era stato piú di un anno prigioniero in

Germania, prima di tornare a casa, magro come un chiodo e quasi irriconoscibile. Ma anche se era lontano, anche se mia nonna magari si era sentita sola, nonostante tutto, continuavo a non capire.

La guardavo adesso. Da quando si era alzata dal suo riposo pomeridiano appariva distratta e un po' inquieta. Mentre leggevamo L'isola del tesoro se ne stava per conto proprio. Ogni tanto si alzava, andava fino alla finestra, guardava fuori, poi tornava a sedersi. Pensai fosse per via delle gru che non arrivavano, dell'acqua che sentivamo sciabordare al piano di sotto e di quella riproduzione di Monet che – accidenti a noi – non ci eravamo ricordate di staccare dal muro.

Prima di cena me ne andai un po' in camera. Stava venendo buio e, come se le due cose fossero collegate, il libeccio si era alzato di nuovo. Gli alberi emergevano dall'acqua, l'abete, il noce e il melograno che circondavano la casa adesso sembravano stranissime piante acquatiche che si piegavano e gonfiavano secondo le folate. Mi domandai se sarebbe di nuovo piovuto. Gli uomini della protezione avevano detto che il tempo stava migliorando, ma a vedere l'oscurità che premeva intorno a noi, madida e ventosa, era difficile crederci.

Quando tornai sul ballatoio la mamma non c'era piú e in un primo momento non vidi neppure la nonna. Poi mi accorsi che era accucciata per terra, vicino alla stufa, e stava accarezzando il cinghiale.

Madama Butterfly si era rivoltata come fanno i gatti e mia nonna le stava grattando la pancia, mia nonna, che i gatti di casa li aveva sempre guardati con diffidenza e malcelata ostilità. Appena mi vide, si sollevò in piedi, stirandosi il vestito. Ma a quel punto anche Madama Butterfly si alzò e prese a trotterellarle dietro.

Non si era ancora mai mossa fino a quel momento. Sonnecchiava, prendeva il latte, respirava profondo a lato delle nostre incombenze e noi non avevamo capito se si sarebbe davvero ripresa. Invece adesso zampettava guardando verso l'alto.

Quando la nonna giocava a carte, metteva la mano a becco e faceva *shhh, shhh* sul mazzetto, e usciva sempre la carta che desiderava. Mi venne in mente come poco prima l'avevo vista accarezzare Madama Butterfly. Forse era accaduto qualcosa di simile. Le aveva fatto una specie di incantesimo e il cinghialetto aveva ripreso le forze.

– Sta bene, – dissi, – hai visto? Sta su. Cammina.

La nonna non si mostrò né sorpresa né particolarmente felice. Piuttosto era imbarazzata e disse soltanto, chissà dove si è cacciata tua madre e poi sentimmo un colpo, qualcosa prese a battere contro la scala, un tonfo continuo e cadenzato, simile a quello che fa fare l'acqua alle cose.

Ci spostammo verso la balaustra e guardammo giú, ma il fondo della scala era immerso nell'oscurità e non si riusciva a distinguere niente, si sentiva solo il colpo, *toc toc toc*, tipo uno che bussa, e il rumore sembrava ancora piú profondo e assumeva una specie di eco, che lo rendeva un po' sinistro.

– Devi andare a vedere, Agata.

Io pensai che la piena continuava a portarci delle cose, era arrivata la barca, il cinghiale e adesso cos'altro? Non avevo voglia di scendere nell'oscurità del piano terra, e per un attimo sperai con tutta me stessa che tornasse la mamma. Probabilmente era di nuovo in soffitta. Come quando c'era mio padre, conservava una speciale attitudine alla sparizione.

– Lo senti?

– Certo che lo sento.

– Dobbiamo capire cos'è, prima che faccia dei danni alla scala. Scendi sotto, Agata.

Quel tonfo preciso e continuo poteva essere prodotto dal corpo di qualcuno. Forse avevo visto troppi film, o letto troppi racconti di Edgar Allan Poe, ma quella era l'atmosfera perfetta perché affiorasse dall'acqua scura un cadavere gonfio e violaceo.

– Ti vuoi decidere?

Presi a scendere e a ogni scalino mi sembrava che si facesse piú buio e il rumore rimbombasse piú forte. La nonna si sporgeva dal ballatoio tenendo la lampada d'emergenza sollevata, ma questo aumentava soltanto le ombre lungo le pareti.

All'improvviso vidi emergere dall'acqua qualcosa di lattescente, una specie di pallore che occhieggiava in mezzo a tutta quell'oscurità. Non capii subito di cosa si trattasse, pensai a un tavolino, a un pezzo di barca, ma poi notai che in realtà era una grande scatola di plastica bianca, una di quelle che vendono nei supermercati, con il coperchio a tenuta stagna. A volte da noi le usavano sulle barche, oppure negli armadi per il cambio di stagione. I coperchi erano fatti come quelli dei contenitori della Tupperware, gli stessi che mia madre vendeva e comprava con le sue amiche nei pomeriggi della mia infanzia. Il giro di chiglia e i party della Tupperware, pensai.

Scesi ancora. La scatola era piú o meno un metro per cinquanta e galleggiava per metà sulla superficie dell'acqua. Intorno era tutto buio e l'odore di fiume e fondale era piú forte che mai.

Cercai di afferrarla, quando lo sciabordio dell'acqua la trascinò di nuovo piú vicina alla scala, ma pesava troppo e non sapevo bene come portarla su. Da sopra mi arrivò la voce della mamma.

– Aspetta, cosí ti spacchi la schiena. Legaci intorno questa.

Mi tirò una fune, poi vidi che faceva passare l'altro capo a cavallo dell'ultimo pilastro della ringhiera.

– Ok, adesso noi tiriamo, Agata, e tu la spingi da sotto.

Arrivò come il resto sul nostro ballatoio. Madama Butterfly l'annusava, noi ci limitavamo a guardarla.

– Be', vediamo che c'è dentro, no? – disse la nonna.

Facemmo forza tutte e tre, ognuna da un lato, la mamma infilò la lama del coltello tra il coperchio e la base, ci fu come uno schiocco e alla fine riuscimmo ad aprirla.

– Vestiti, – dissi io.

– Molto eleganti, – precisò la nonna.

– Da sera, – concluse la mamma.

– Perché non li proviamo?

Fu la mamma a dirlo. La nonna ci pensò su un momento, poi sorrise. Cominciarono a toglierli dalla scatola. Erano abiti lunghi e sembravano appartenere a un'altra epoca, forse arrivavano da una delle ville antiche che stavano proprio sul fiume, come quella che pareva una chiesa perché aveva una torretta con il tetto giallo oro e dicevano che dentro fosse piena di marmi, scale e tappeti. O forse da qualcuno degli yacht che la piena aveva strappato agli ormeggi.

Comunque erano eccessivi, vagamente smisurati, con intarsi di pizzo o ricoperti da piccole scaglie scintillanti.

– Magari sono di qualcuno, – dissi.

– Certo che sono di qualcuno, e li restituiremo appena passata la marea. Ci sarà un punto di raccolta o che so, e noi ce li porteremo, ma intanto... Dài, Agata, scegliтene uno –. Poi, vedendo che non mi muovevo, la mamma aggiunse: – Non ti preoccupare, è solo per adesso. Dobbiamo festeggiare, in fondo.

– Festeggiare?

– Certo, Madama Butterfly. Hai visto? Sta bene, corre qui e là, e noi stasera dobbiamo festeggiare. Apparecchiamo, prendiamo il vino, ci vestiamo con uno di questi, ci trucchiamo e poi...

– Poi mettiamo della musica, – disse la nonna. – Ci vuole la musica giusta.

Fu una serata davvero strana, la seconda dopo che era caduto il ponte.

La nonna preparò un pesto con del basilico e un po' di

formaggio, non c'era molto altro. Il profumo era buonissimo. Nel pacco della protezione civile c'erano dei fagioli e dei ceci. Li condí con olio, sale e una buona spolverata di pepe. Avevamo primo e secondo, in un modo o nell'altro, e nel pacco c'erano ancora dei biscotti secchi, che avrebbero fatto da dolce. Era una vera cena. La prima da quando era esondato il fiume.

La mamma mise le posate d'argento. Due forchette a lato del piatto, come piaceva a lei. E tirò fuori da una scatola dei bicchieri che aveva ritrovato in soffitta, dei calici che avevano tutta l'aria di essere di cristallo. Poi trovò delle candele rosse, tonde, forse nella scatola del Natale. Le sistemò al centro della tovaglia e le accese.

– Con queste e il fuoco nella stufa, potremmo spegnere la lampada d'emergenza che mica mi piace tanto la luce che fa, – disse. La nonna, dal canto suo, stava scegliendo il cd.

Poi ci vestimmo, ognuna di noi con l'abito che aveva scelto.

Mia nonna ne mise uno che le stava a pennello, era d'un verde scuro, che cambiava tonalità a seconda dei movimenti. Aveva indossato anche una collana di perle. Quando si spostava la stanza si riempiva di un sussurro di stoffe, la coda si allungava dietro di lei e alla fine dello strascico veniva trotterellando Madama Butterfly.

Mia madre invece scelse un vestito di taffetà blu, con il corpetto ricoperto di piccoli cristalli e la gonna che si apriva in morbide volute. Io ne presi uno di chiffon nero, con le spalline e la gonna che finiva in un sovrapporsi di veli. Era un po' lungo e la nonna fece in modo di agganciare in qualche maniera la gonna alla cintura, per accorciarmela e mi domandò se non avessi un paio di scarpe.

Andai in camera a cercare e guardando nel mio armadio ritrovai in una scatola quelle di Pietrasanta. Le mie uniche scarpe con il tacco. Le indossai e quando tornai sul ballatoio, la nonna annuí e sorrise.

Ci stavamo già sedendo a tavola, quando la mamma disse:

– Oh, accidenti, ho dimenticato il vino. Agata, per favore, vai su in soffitta, ci sono ancora delle bottiglie di lambrusco, prendine una. Sai, no, dove sono? Vicino a quel grande baule rosso, quello da viaggio. Lo vedi, non puoi non vederlo, è grande e rosso, lí ci sono le bottiglie.

Ecco, fu questo che fece, mi disse del baule in modo incidentale, soltanto come punto di riferimento, per trovare il vino, e anche il mattino dopo sarebbe tornata a parlarmene, come se l'avesse ricordato solo per caso, come se tutto capitasse per caso. Ma questo, per l'appunto, accadde soltanto il giorno successivo.

Appena ci sedemmo a tavola, con la musica di Nat King Cole in sottofondo, un uomo della protezione civile ci chiamò da fuori. Andammo al balcone e lui per un momento, vedendoci cosí, tutte agghindate da sera, restò interdetto.

– Ci stiamo provando dei vestiti, cosí, per passare il tempo, – disse la mamma.

Un po' confuso l'uomo rispose che erano davvero belli e noi molto eleganti. Io volevo sprofondare, mi sembrava terribile che lui se ne stesse sul gommone afferrandosi con le mani alla ringhiera del balcone, con addosso la cerata, gli stivali, il giubbotto catarifrangente, e si stesse occupando della nostra salvezza da due giorni, mentre noi facevamo una festa per il nostro cucciolo di cinghiale. Ma la cosa a quanto pareva stava mettendo in difficoltà soltanto me, perché la nonna lo ringraziò dei complimenti e la mamma gli chiese se potevamo offrirgli un aperitivo. Disse proprio cosí, un aperitivo.

– Oh, sí, un bicchiere di vino, lo prenda.

– Ma, veramente io...

– La prego, non faccia complimenti.

– Sono sporco di fango, non voglio entrare in casa.

Credo che il pensiero della nonna a quel punto andò a Madama Butterfly, al fatto che se fosse entrato, l'uomo avrebbe finito per vederla e di sicuro mangiarsela – si era fissata su questo punto, che tutti volessero mangiarsela –, e cosí si affrettò a dirgli che non era affatto necessario che entrasse, avremmo brindato lí, sul balconcino.

– Ci dia soltanto un momento, – e sparí in casa. Dopo un attimo tornò con un vassoio e quattro calici di lambrusco.

– Non è champagne, ma ci accontentiamo.

Quando il tipo della protezione civile, rassicurato sul fatto che ce la cavavamo e che avevamo tutto il necessario, posò il bicchiere sul vassoio e si allontanò lasciandosi dietro una lunga scia di schiuma bianca che si perdeva nell'oscurità, tornammo dentro e per il resto della serata ci comportammo come se fossimo a una cena di gala.

– Sai, tipo il Grande Gatsby? – disse la mamma. – Non vi sembra? Immaginate che i fagioli e i ceci non siano fagioli e ceci, ma tartine al caviale, al salmone, ostriche.

– E gli spaghetti? – domandò la nonna.

Io dissi che dubitavo fortemente che il Grande Gatsby mangiasse spaghetti. E la mamma a quel punto fece spallucce e concluse:

– Oh, solo perché non li aveva mai assaggiati!

E poi Nat King Cole intonò *Quizás, quizás, quizás* e la mamma si alzò a ballare. La nonna e io la seguimmo ridendo e muovendoci intorno alla scrivania apparecchiata con Madama Butterfly che sgattaiolava tra noi e grufolava.

Lí per lí mi era sembrato tutto molto bello e speciale, ma quando la nostra festa finí e staccammo la musica e ci spogliammo e rimettemmo gli abiti piegati nella loro scatola, ecco, allora mi calò addosso un'improvvisa tristezza. Mi sentii perduta, sola.

Il vestito da sposa era ancora appeso nella mia stanza. Bianco, infinito, e per un momento mi sembrò uno spirito, un fantasma sproporzionato che mi aspettava imperterrito dalle parti della libreria.

Quattordici

Alla fine di luglio Pietro era stato chiamato dalla ditta spagnola. Sarebbe partito di lí a una settimana. Prima o poi doveva succedere, lo sapevo, e mi andava bene, non gli avevo mai chiesto di restare, né avevo mai pensato di seguirlo. Dopo quella volta a Manarola non avevamo piú parlato né dei suoi viaggi, né del mio matrimonio. Abitavamo insieme in tutte le case, invece, in una cucinavamo gli spaghetti, in un'altra ballavamo, ci eravamo sdraiati su una terrazza, avevamo buttato via la spazzatura e immaginato di accendere un camino, di avere un letto vicino alla finestra, di mangiare pane fatto in casa. Avevamo dipinto certe pareti, inventato tavolini e sedie, apparecchiato la tavola a Manarola e dondolato su un'amaca a Castelnuovo. Una collezione infinita di gesti quotidiani sparsi per tutti i posti in cui eravamo stati.

Pietro mi disse che partiva e mi mandò l'ultima piantina. La casa era quella dove avevamo fatto l'amore la prima volta, riconobbi la mulattiera che saliva dietro al paese, le piane con gli ulivi intorno, e dietro, la Rocca di Pietrasanta.
Quel pomeriggio pioveva, un temporale estivo che non era riuscito a far smettere il caldo. Mi aveva preso alla sprovvista a metà della salita e cosí avevo continuato a camminare e a infradiciarmi i capelli e i vestiti. Arrivata, avevo trovato Pietro sulla porta. Mi guardava e la sua espressione coincideva in modo straziante con quella che gli avevo visto quando lo avevo trovato ad aspettarmi sulle scale del duomo.

– Vieni che ti asciugo un po', – mi portò dentro e subito mi buttò addosso una maglia e mi frizionò forte i capelli.

Fu solo un momento dopo che mi accorsi di come intorno a me fosse tutto cambiato.

Sentivo i tuoni in lontananza, la pioggia che continuava a cadere e batteva contro i vetri, e mi resi conto che, angolo dopo angolo, nella casa di Pietrasanta adesso c'erano tutti i mobili. Come se durante quei mesi, mentre Pietro e io li inventavamo sdraiati per terra in qualche altro appartamento, i nostri letti fossero apparsi lí. Poi era apparso anche il divano, e tutti i piatti e le lampade si erano accese e le tende si erano attaccate alle finestre, le posate erano finite nei cassetti, gli stampi dei budini si erano di nuovo appesi alla parete, coprendo gli aloni tondi.

– Cosa significa? – gli domandai.

– Che la nostra casa è pronta, – Pietro sorrise e poi si fece serio: – Ci vengono la prossima settimana, – disse.

Il pensiero mi diede una fitta.

Lui si avvicinò: – Questa è la nostra casa, e lo rimarrà per sempre. E anche tutte le altre, – mi prese il mento e ripeté. – Per sempre, hai capito?

– Non voglio che mi scrivi, – dissi.

– Perché?

– Non voglio che ci scriviamo e neanche che ci telefoniamo, mai.

– Perché?

– Perché a un certo punto uno di noi smetterebbe di farlo e non voglio che smettiamo.

Pietro rimase qualche istante in silenzio e poi disse:

– Non smettiamo, – mi abbracciò e io affondai il viso nella sua camicia e pensai che adesso era l'unico posto ragionevole dove stare, il cotone bianco della sua camicia.

Tornammo nella stanza dove c'era la finestra che dava sulla valle, al piano di sopra. Adesso c'era davvero un letto, contro la parete opposta.

– Aiutami, – disse Pietro. Prendemmo il materasso e lo

portammo proprio davanti alla finestra dove lo avevamo immaginato la prima volta.

– Da qui puoi vedere le isole e tutte le case dove siamo stati. Guarda.

Era vero, la costa si apriva davanti ai nostri occhi, coi lampi sul mare e un fronte scuro e sfilacciato di nubi all'orizzonte, e io potevo immaginare il luogo esatto dei nostri appuntamenti, come uno di quei giochi in cui devi unire i puntini e alla fine forse viene fuori un disegno. La mappa di noi due, pensai.

Pietro sorrise e mi domandò, allora che casa sceglierai per te?

Rimasi un momento in silenzio e poi gli dissi che ce n'era sempre stata una.

– È sul mare, è grande e bianca. Anche le stanze, dentro, sono tutte bianche. È disabitata e ci fanno il nido i gabbiani, e lungo le pareti corrono le lucertole. Quand'ero ragazzina avevo delle foto, ma non ce le ho piú. Però la so a memoria, ci vado sempre. È a Bocca di Magra.

– Dev'essere bellissima, coi gabbiani e le lucertole dentro, – sorrise di nuovo. – Perché non mi ci hai mai portato?

Era vero, non avevo mai pensato di portarlo alla Casabianca, mi vennero in mente i pomeriggi caldi di fine giugno e poi certe mattine, a luglio, in cui mi ero nascosta là dentro, all'alba, e scrollai le spalle, come a dire che non lo sapevo.

– Hai fatto bene, – disse. – È la tua casa, quella, ed è solo tua. E cosa farai lí dentro? Le torte o ti deciderai a imparare il tedesco?

Io lo baciai perché non sapevo la risposta.

Quella notte facemmo l'amore fino a sfinirci e poi mangiammo insieme dei biscotti sul letto.

Avevamo bevuto del vino dolce e parlato finché non ci eravamo addormentati, mentre la pioggia tornava a scrosciare, a intervalli, sui lucernai del tetto e tutte le piante e gli alberi intorno alla casa oscillavano e sembrava che oscillasse anche la casa.

Avevamo dormito fino all'alba, l'unica notte in cui avevamo dormito insieme, perché il sonno ci mancava e invece lo dovevamo avere nella nostra collezione.

Dopo la partenza di Pietro, alla Casabianca erano arrivati i ragazzi in colonia e io mi ero accorta quasi di colpo che era iniziato agosto.

Una sera avevo trovato le persiane della casa spalancate, il cancello aperto e gli asciugamani appesi alla recinzione e avevo sentito che qualcuno stava facendo la doccia e qualcuno apparecchiava la tavola dietro alla rete che girava intorno al portico del piano terra.

Gli asciugamani avevano colori troppo forti.

Interrompevano bruscamente il bianco della facciata. Ero rimasta qualche secondo sconcertata a guardarli, fradici di mare, ancora più scuri. Poi dal piano di sopra era sbucata una ragazzina e io avevo provato una fitta di gelosia. Aveva sí e no dodici anni, era bella e si stava divertendo, quella notte avrebbe dormito nella Casabianca e il mattino dopo si sarebbe svegliata nella stanza più luminosa.

Da quel momento non ci tornai più. Smisi anche di scendere a Punta Corvo.

Era il periodo in cui le volpi si spingevano fino alla strada per mangiare. Di sera te le potevi trovare all'improvviso di fronte, con gli occhi spalancati, la loro forma veloce, la corsa selvatica.

Cosí, mi dicevo, non mi va più di fare i sentieri, e immaginavo quel punto, più o meno a metà costa, dove le pietre diventavano più rade e sconnesse, la vegetazione a tratti invadeva la mulattiera e di fianco il terreno si apriva in una gola invasa dalle felci e dai pini caduti. I tronchi restavano in mezzo al canalone e del sottobosco non si riusciva a stabilire la profondità. Era una parte del bosco che mi aveva sempre fatto paura, la percorrevo sempre di fretta, e adesso pensavo proprio a quel tratto e pensavo alle volpi e agli asciugamani bagnati d'acqua che pendevano dal balcone della Casabianca, e non mi andava piú di fare niente.

Il mare diventò sporco a riva, le giornate soffocanti, il fiume in certe ore era talmente fermo che sapeva di terra e sulla superficie galleggiavano alghe filamentose.

Giacomo e io andavamo al nostro appartamento la sera. I lavori erano quasi finiti. C'era l'odore della pittura e della plastica da imballaggio.

Mi diceva, facciamo un giro, e camminavamo fino alla tenuta di Marinella. Mi era sempre piaciuto passeggiare lungo i campi. Le prime volte che ci eravamo stati erano pieni di colza che palpitava gialla, a perdita d'occhio. Ma adesso che l'avevano tagliata era riapparsa la terra grassa, e in quella terra si spalancavano di colpo i canali scoperti, d'un verde quasi fosforescente, i versi delle rane, le loro bolle che affioravano in superficie, le zanzare con le zampe lunghissime che si appoggiavano sull'acqua, e la sensazione della palude. Si sentiva ancora l'acquitrino che premeva tutto intorno, il lavoro di bonifica non era servito a niente, niente le case che correvano lungo la strada, niente l'ufficio delle poste e le coltivazioni e la stalla delle mucche. La palude c'era ancora, si avvertiva, e ogni cosa sembrava poter affondare nella melma da un momento all'altro.

Io non sentivo piú nulla. Il mio corpo, che a luglio mi aveva tenuta in ostaggio, si stava ritirando, aveva ricominciato a farsi incerto, come se il caldo lo stesse sfibrando. Avevo l'impressione di essere da qualche parte dietro i miei occhi, e che le cose mi arrivassero in ritardo, attutite. A volte Pietro mi mancava in modo quasi feroce, e allora prendevo la mia auto e tornavo nelle strade dove eravamo stati insieme, di fronte alle case che avevamo abitato, quasi bastasse far coincidere lo spazio perché anche il tempo alla fine combaciasse.

Mi mettevo ad aspettare, come se davvero da un momento all'altro lui potesse apparire da un angolo, o dal fondo di una piazza, e invece il tempo non si confondeva, e dopo un po', invece, erano gli spazi a cedere, e cambiava il colore di certi cancelli, le strade invertivano il senso di percorrenza, spariva un annuncio di vendita o di affitto.

Allora chiamavo al telefono Giacomo e gli dicevo, dove sei? Ti raggiungo, ci vediamo, illudendomi che cosí tutto sarebbe andato a posto, però poi quando stavamo insieme, mi sembrava sempre di essere distratta. Non riuscivo a stare attenta alle cose che facevamo, non sapevo che cosa mi aveva detto un attimo prima.

Il 30 d'agosto eravamo andati alla festa sul fiume, come ogni anno. Nel piazzale di fronte all'imbarcadero, tra gli eucalipti, venivano appesi i fili di lampadine e sotto sistemati i tavolini di legno pieghevoli. I pescatori avevano allestito un tendone dal lato del circolo, dove servivano le acciughe fritte.

Quella sera dal fiume arrivava una brezza leggera e le luci dondolavano in mezzo agli alberi. I bimbi si rincorrevano nei vialetti di ghiaia e l'orchestra suonava.

La prima volta alla festa sul fiume mi ci aveva portato mio padre, un secolo prima. Arrivammo in bicicletta e occupammo un tavolino di quelli piú vicini all'acqua. Mia madre sarebbe arrivata da lí a poco e intanto che l'aspettavamo, scegliemmo tutte le cose da ordinare. Io rimasi incantata di fronte alla padella gigantesca in cui cuocevano i frutti di mare. Papà mi sollevò in alto perché potessi vederla.

– Vieni, cerchiamoci un posto, – aveva detto Giacomo.

Alle undici c'erano i fuochi e dovevamo scegliere uno scoglio lungo l'argine dove sederci. Avevo visto una pietra piatta appena oltre il parapetto, non ci s'era ancora messo nessuno, sembrava perfetta. L'avevamo raggiunta e ci eravamo sistemati proprio al centro.

Qualcuno si era portato un cuscino da casa, qualcuno accanto a noi si era sdraiato. Tutti aspettavano guardando la distesa scura del Magra senza parlare.

I pescatori avevano staccato la luce delle lampadine, e un attimo prima che iniziassero i fuochi, eravamo caduti in quel buio denso che sapeva di fiume e allora la pianta dei miei piedi, i muscoli delle gambe, il palmo delle mani avevano riconosciuto quello di cui gli occhi non s'erano accorti, che lo scoglio era lo stesso, identica la posizione, gli avvallamenti del sasso, il grado di inclinazione verso l'acqua. Avevo scelto senza neppure accorgermene proprio il posto in cui ci sedevamo con papà.

Poi c'era stato il segnale e da una zattera ormeggiata al centro avevano preso a salire i serpentelli, le stelle, le meteore, il fischio lungo che anticipava i petardi, le fontane bianche che si riflettevano sull'acqua confondendo le scie di luce con il loro riflesso.

Giacomo mi si era avvicinato e aveva detto, ci pensi che tra poco sarai mia moglie? E le cose erano come tornate al loro posto. Avevo guardato la riva opposta, le barche, i tavolini della festa dietro di noi, e tutto era intatto. Avevo sentito una specie di sollievo, una sensazione quasi di felicità.

E certo, avevo pensato, ci saremmo sposati. Ecco cosa avremmo fatto. La casa era quasi finita. Vicina al mare, e vicina a Bocca di Magra, così avrei potuto vedermi spesso con la mamma e la nonna. Qualche sera avremmo cenato insieme, tutti e quattro, avrei fatto la spesa nel supermercato appena prima della tenuta agricola.

I razzi esplodevano, qualcuno accanto a me diceva che erano bellissimi. Guarda, guarda questo. Sono più belli dell'anno scorso. Sí, sono più belli.

E poi avrei superato l'esame e iniziato a insegnare. Avrei sistemato i miei libri in casa, sulle mensole, e sarebbe venuto Natale. Ma certo, Natale quest'anno lo avremmo fatto da noi.

E quando ero tornata a casa, vedendo in cucina mia madre e la nonna che giocavano a carte, era stata quella la prima volta in cui avevo pensato, io con loro non c'entro niente.

Non so cosa me lo avesse fatto pensare, forse il modo in cui per un attimo avevano entrambe alzato la testa guardandomi e mi avevano chiesto, allora erano belli?

I fuochi? Sí, erano belli. I serpentelli, le fontane, i bengala. Avrei voluto dire, tra poco piú di un mese sarò la moglie di Giacomo, e stasera mi ha stretto e i fuochi erano bellissimi.

Ma la mamma aveva detto, a me proprio non mi dicono niente. E io avevo pensato, con loro non voglio c'entrare, con quella specie di resistenza alle cose. Voglio che per me sia semplice. Non voglio sorvolare con un biplano nessun continente, non voglio una diga né una piantagione. Non voglio le case e i boschi e le volpi, non voglio i sassi contro la schiena, non voglio niente. Voglio soltanto che sia piú semplice. E me l'ero ripetuto fino allo sfinimento, mentre sceglievo le ultime cose, decidevo il menu del pranzo, mi appuntavano gli orli dell'abito, e ogni volta la sensazione di sollievo tornava, puntuale, ferma, affidabile. Io non c'entro, mi ero detta la sera prima della tempesta, e persino quella sera, mentre ballavo *Quizás, quizás, quizás*, ecco, persino allora una parte di me aveva continuato a pensare, io non c'entro, e tutto questo non è altro che una specie di sogno, e come i sogni è intermittente, inaffidabile, e poi l'acqua se ne andrà, riaffioreranno le strade, il ponte verrà ricostruito e si riaccenderanno le lampadine, funzioneranno di nuovo i fornelli, smetteranno di bussare alla nostra porta le barche, i bauli, i vestiti da ballo, non troveremo mai piú un cucciolo di cinghiale e non pescheremo mai piú i pomodori con un retino, né arpioneremo l'insalata col mezzo marinaio. E io non c'entro, con la mamma e la nonna io non c'entro.

Quindici

La mattina dopo la nonna mi puntò la sua pistola contro.

Avevamo continuato a sentire i mezzi di soccorso andare avanti e indietro, per tutta la notte, ma non erano riusciti a portare le chiatte al ponte ed evidentemente neanche a demolire le paratie come aveva sperato l'uomo della protezione civile. L'acqua circondava ancora la casa e il vento continuava a soffiare incessante, facendola increspare intorno alle cose.

Però quel mattino c'era il sole. Splendeva sul nostro giardino, sulle piante che luccicavano gocciolanti nell'aria azzurra, sulle superfici di metallo del cancello e della rete, sulle tegole delle case vicine.

La nonna era ancora in bagno a prepararsi, la mamma, invece, stava guardando fuori dalla finestra.

– Hai visto che bello, Agata? Sembra che tutto ci sia due volte.

Era vero, ogni cosa col sole si specchiava nell'acqua e pareva duplicarsi e tutto era cosí nitido che sulla sponda opposta quasi si faceva fatica a capire quale fosse l'originale e quale il riflesso.

Poi la mamma si era voltata e, come fosse un'idea che le era venuta col sole, mi aveva detto del baule.

– Ieri sera, quando sei andata a prendere il vino, l'hai visto il baule, no? Quello vicino alle bottiglie.

– Sí, il baule rosso, perché?

– Ecco, ci potrebbero essere delle altre cose lí dentro. Della nonna, voglio dire. Mi è venuto in mente adesso. Le avevamo messe lassú quando abbiamo venduto il suo appartamento. Era roba che c'era negli armadi e nei cassetti. Visto che t'interessa tanto…

Non aveva aggiunto altro ed era sprofondata di nuovo nelle proprie occupazioni.

Salii subito. Dal lucernaio proveniva la luce del sole. Il vento aveva spazzato il cielo finalmente e cosí ora la soffitta riverberava di un chiarore diffuso che la rendeva calda e gialla. Non ci andavo quasi mai, lassú; la sera precedente, quando avevo dovuto prendere il vino, mi ero mossa in fretta. Adesso invece restai un momento al centro della stanza. C'era odore di stoffe e carta vecchia.

Di portare giú il baule me lo potevo scordare, era troppo grande e pesante, e cosí mi ci sedetti accanto e decisi di esaminarne il contenuto lí. Sollevai il coperchio con un po' di fatica perché i ganci erano ossidati e non scattavano. Dentro, trovai altre fotografie, carte e documenti, contratti di affitto e lettere che mio nonno aveva spedito alla nonna quand'era imbarcato. C'erano le sue cartoline da Tunisi, e certi atti di vendita su ordini di scarpe che probabilmente risalivano al periodo, piuttosto breve, in cui la nonna aveva lavorato per la zia Vittoria. C'erano le fotografie della bisnonna Maria e del marito, di alcuni matrimoni e di certi battesimi e compleanni, e di quello che doveva essere il Palazzon, che in bianco e nero appariva enorme e un po' tetro in mezzo alla campagna padana.

Poi vidi una scatola da scarpe. Era chiusa con lo scotch spesso, marrone, e non era cosí grande e ingombrante, quindi potevo, questa sí, portarmela giú ed esaminarne con calma il contenuto.

Richiusi il baule e scesi di sotto, cercando di sgattaiolare in camera mia senza che la nonna mi vedesse. Una volta dentro, chiusi la porta a chiave e mi sistemai sul letto con la scatola. Sollevai lo scotch stando attenta a non strappare il cartone. Era incollato malamente, doveva essere moltis-

simo tempo che nessuno ci metteva le mani. La prima cosa
che trovai, in cima a tutto il resto, fu una foto.

Sul retro c'era scritto soltanto *Fulvia*. Andai a prendere
la cartolina della finestra cerchiata, confrontai la scrittura con quella della cartolina. Era la stessa. Lettere magre
e puntute, frasi piene di picchi scoscesi. *Fulvia*. La voltai.

Mia nonna sorrideva e mi puntava una pistola contro.

Stava accovacciata, un ginocchio appoggiato a terra,
l'altro sollevato, indossava un vestito senza maniche, forse di maglia e con gli orli slabbrati, che lasciava scoperte
braccia e gambe. Di che colore non si poteva capire, perché la foto era in bianco e nero, ma sembrava chiaro. Sulle
spalle portava uno zaino e ai piedi indossava scarponi da
montagna con calze di lana spesse e arrotolate. I capelli,
lunghi e ricci, stavano raccolti dietro la nuca, ma qualche
ciuffo le cadeva sul viso. Sullo sfondo, dietro di lei, si vedeva il muro di una casa o di una stalla – non si capiva –
con grosse porte in legno. Sorrideva e teneva una pistola
in mano. La puntava verso chi in quel momento le stava
scattando la fotografia.

Non c'era una data, né un timbro del fotografo che l'a-
veva stampata. Si capiva però che era una fotografia per
cui lei si era messa in posa, ma perché mia nonna aveva
una pistola?

Mi venne di nuovo in mente quello che aveva detto.
«Ché tu saresti morta subito in guerra».

Lei no. Lei in guerra mangiava coppette di panna e
puntava una pistola.

Quando andavamo a Modena in autunno, la mamma e
io compravamo sempre le zucche. Risalivamo una strada
stretta che costeggiava le coltivazioni e in fondo c'era un
campo e appena prima del campo, il casale dei contadini.
Sui davanzali delle finestre mettevano in mostra le zucche, arancioni e bitorzolute, e noi scendevamo dall'auto

e mentre io bussavo ai vetri, la mamma se le studiava attentamente per scegliere la migliore.

Dopo un po' usciva la signora, che non era gentile, aveva modi spicci e quasi mai ti guardava negli occhi. Per tutto il tempo che stavamo lí due cani continuavano a saltarle intorno, ma lei non ci faceva caso.

Dalla sua espressione non si capiva mai se la nostra scelta fosse giusta o meno, poi sistemava la zucca sul piatto della bilancia, equilibrava pesi e livelli e ci diceva quanto spendevamo. Appena avevamo pagato, tornava in casa senza salutarci. I cani restavano sullo zerbino a scodinzolare e ad aspettare che uscisse di nuovo. Sembravano amarla molto.

«Qui ci abitava il cugino del nonno», diceva ogni volta mia madre, e quando varcavamo il cancello e tornavamo sulla strada sterrata e bianca di ghiaia, aggiungeva: «E qui l'hanno impiccato i tedeschi».

C'erano degli alberi in fila, probabilmente gli stessi a cui i tedeschi avevano legato le corde. La cosa strana era che mia madre quella storia la raccontava ogni volta, ma sempre in quell'ordine, e solo al ritorno. Non accadeva mai che m'indicasse il posto dell'impiccagione mentre entravamo nell'aia, lo faceva soltanto quando andavamo via e questo peggiorava le cose, perché io pativo l'impressione che il cugino del nonno venisse appeso al cappio proprio nell'intervallo di tempo che noi impiegavamo a scegliere la zucca.

Erano cinque ragazzi, mi aveva detto la mamma, tutti partigiani. I tedeschi sparavano a chi si avvicinava per tirarli giú. La zia di mio nonno abitava proprio nella casa delle zucche, cosí per tutto il giorno, la notte e quella ancora successiva aveva probabilmente continuato a guardare dalle finestre il corpo del figlio penzolare là davanti, senza poterci fare niente.

Due giorni dopo erano arrivati gli americani.

La signora delle zucche non c'entrava con il cugino di mio nonno e neanche con mio nonno. E non c'entrava con la guerra perché era giovane e di certo quella casa l'aveva comprata dopo. E tuttavia, nella mia testa, si allacciava tutto insieme. Se era cosí scontrosa e se non guardava neppure i cani mentre le saltavano intorno, doveva avere le sue ragioni e le sue ragioni, pensavo, dovevano avere a che fare con l'impiccagione dei tedeschi.

Gli americani, nel racconto di mia madre, arrivavano sulle jeep e tutti correvano a vederli, compresa lei, che era una bambina. All'epoca mia nonna stava a Modena, il nonno forse era già riuscito a scappare dal campo di prigionia e si trovava in qualche posto tra la Germania e l'Italia, che camminava a piedi, magro e irriconoscibile.

Tutti li andavano a vedere, gli americani. La mamma ricordava che uno le aveva chiesto se fosse figlia di tedeschi, perché da piccola aveva i capelli piú chiari.

– E tu? – domandavo a mia madre.

– Io dissi di no.

E cosí finiva il racconto degli americani. In niente.

Mia nonna che strozzava le galline, il cugino del nonno che l'avevano impiccato e lasciato penzolare dall'albero, gli americani che commentavano i capelli di mia madre, il nonno che scappava dal campo e tornava dalla Germania a piedi, la nonna a cui avevano sparato alle gambe. Ma si trattava di quest'unica frase, i tedeschi le avevano sparato alle gambe. E la nonna adesso mi puntava una pistola contro.

Pensai che con quella pistola poteva uccidere qualcuno. E quasi di sicuro lo aveva fatto.

Sedici

Trovai altri scatti. Mia nonna su una bicicletta, o vicino a un torrente dove sembrava stesse lavando delle cose, o ancora, seduta su un masso, forse si trattava di un bosco perché c'erano degli alberi dietro. In tutte le immagini sorrideva all'obbiettivo e non sembrava c'entrare niente con mia nonna, almeno con la versione di lei che avevo sempre conosciuto io.

Non sapevo dire precisamente in che modo fosse diversa. Non era solo per via della pistola. Appariva diversa anche mentre stava al torrente a fare il bucato.

E poi c'erano altre immagini. Panchine di fronte alle quali si fermava in posa, strade che percorreva e campi in cui si sdraiava, la ringhiera di un terrazzo a cui stava appoggiata.

Pensai che potesse avergliele fatte sempre la stessa persona, quell'uomo che si rifletteva nello specchio del caffè e che non era mio nonno. Le scattava una foto dopo l'altra, e viveva dietro una finestra cerchiata di rosso. E c'erano buonissime probabilità che avesse dormito con mia nonna nella stanza numero 14 dell'Hotel San Giors e poi avesse rubato la chiave per lei.

Fu a quel punto, mentre pensavo a mia nonna in una stanza d'hotel, che cadde l'albero.

Si sentí uno schianto forte da fuori e quando corsi ad affacciarmi vidi che il melograno era venuto giú ed era finito sulla balaustra del balcone. Non era un albero enorme per fortuna, ma adesso una parte dei rami s'infilava nella ringhiera.

Dalla porta arrivò la voce della nonna.

– Agata, cosa succede? Agata, apri. Perché ti sei chiusa?

Misi in fretta le cose dentro la scatola e la nascosi nell'armadio, poi le aprii.

– Mi spieghi che bisogno hai di chiuderti dentro? Siamo noi tre in casa e lei si barrica in camera.

Mi barrico in camera perché tu hai una pistola, pensai per un attimo, ma non lo dissi. La seguii sul balcone insieme a Madama Butterfly che non la mollava un momento.

– Oh accidenti, il melograno! – esclamò. – Hai visto Cè, che disastro.

La mamma che ci aveva raggiunto in quel momento si sporse a guardare. Il tronco si era inclinato di quarantacinque gradi. Alcune delle radici piú lunghe sbucavano dall'acqua e la chioma si era appoggiata completamente al balcone della mia camera, certi rami si erano infilati nella ringhiera e una parte delle foglie ricopriva il pavimento. Adesso sembrava quasi che il mio balcone fosse costruito in cima all'albero.

La mamma si piegò sulle ginocchia a toccare i rami. Non diceva niente e io mi domandai, che fa? Perché non parla?

Neanche la nonna parlava piú. Restavano lí, a guardare le foglie, i frutti tondi e spaccati. Per un attimo pensai che saremmo rimaste sul balcone in eterno, che non saremmo piú riuscite a far accadere niente di nuovo.

Quell'albero l'aveva piantato mio padre moltissimi anni prima. Lo aveva preso al vivaio che era poco piú d'un ramoscello. Ricordavo perfettamente quando io e la mamma lo avevamo assistito in giardino, mentre lui scavava la buca, liberava le radici, lo interrava e ci sistemava vicino una canna perché era ancora troppo debole per stare su. Poi l'albero aveva continuato a crescere, il tronco a diventare piú forte, erano spuntati i primi frutti.

La mamma si voltò verso di me, aveva gli occhi lucidi e, per la prima volta da quando era caduto il ponte, sembrava impotente, non aveva idea di quale sarebbe stata la prossima mossa.

Allora mi accucciai, cominciai a raccogliere i rami che si erano spezzati e dissi che avevamo proprio bisogno di legna per la stufa, poi staccai un frutto dall'albero.

– Visto? Sono mature. Oggi ce ne possiamo mangiare qualcuna –. Cercai di sorridere. – Magari se non si sono danneggiate troppo le radici, possiamo anche ripiantarlo. La terra là sotto dev'essere fradicia d'acqua e forse non ha retto col vento. Adesso pensiamo a raccogliere le melagrane... E comunque siamo state fortunate. La nostra barca è intatta. Se ci cadeva sopra magari la rovinava e invece...

A quel punto anche la mamma provò a sorridere, e disse:

– Sí, la barca è a posto.

Galleggiava di fianco alla casa e il suo colore azzurro splendeva nel sole.

Lavorammo in casa tutta la mattina. Eravamo cosí prese, che neppure ci accorgemmo quando il livello dell'acqua cominciò a scendere.

Dopo pranzo andammo a scuotere la tovaglia sul balcone e scoprimmo che il paesaggio di fronte a noi non aveva piú niente a che fare con quello di appena un paio d'ore prima.

Evidentemente i pompieri e gli uomini della protezione civile erano riusciti a buttare giú tutte le paratie di cemento che chiudevano la foce per far defluire l'acqua.

Ora tutto era riemerso. Il paese aveva smesso di essere liquido per rapprendersi di nuovo in una serie di forme che sembravano improvvisamente troppo spigolose e sulle quali si stendeva una crosta compatta di sabbia bagnata. Prima di allora non mi ero mai resa conto che il fango brillasse. Adesso, intorno a noi si spalancava una terra desolata, nera e scintillante.

– È andata via, – disse la mamma. – Cosí in fretta, vero?
Sembrava delusa, persino un po' triste. Io mi sentivo
nello stesso modo ma non dissi niente.

Fino a quella mattina l'acqua aveva fatto sembrare tutto
in qualche modo collegato, allacciato. Il fiume si stringeva
e si allargava intorno alle case e agli alberi e ai pali degli ormeggi e niente era davvero separato da niente. Adesso ogni
oggetto, piccolo o grande, aveva riacquistato i propri confini e intorno si avvertiva come un senso di solitudine che
riguardava prima le cose e poi, pian piano, ti entrava dentro.

Pensai a Giacomo, tra poco lo avrei rivisto. Il tempo
che lo riguardava si era come fermato, in quei giorni. Avevo continuato a pensarlo in salvo sulla terraferma, mentre
io ero circondata da una distesa d'acqua.

Ora il fiume se n'era andato, e sarebbero tornate le
strade, il modo semplice di andare da una costa all'altra,
sarebbero riaffiorati i marciapiedi e in quel mondo cosí
solido, compatto, mi sembrava che Giacomo fosse ancora
piú difficile da raggiungere, separato da me da un'infinità
di angoli, pendenze, scalini, curve e spigoli.

La nonna scese per prima. Non ci disse niente, semplicemente infilò la scala e andò a recuperare il suo Monet.
Lo portò su, lo guardò un momento, passò una mano sulla cornice, ci soffiò sopra, e lo appoggiò alla mensola che
correva sulla parete in fondo al ballatoio. Quindi, dopo
avergli dato un'ultima occhiata, s'inabissò un'altra volta
con Madama Butterfly alle calcagna.

– Be', vi volete sbrigare? C'è da lavorare, sapete?
Aveva ripreso a muoversi svelta e decisa, di nuovo certa dei suoi spostamenti. Forse entrò nel sottoscala, forse
infilò la porta che dava sulla rimessa, fatto sta che la mamma e io quasi subito ci ritrovammo da sole al piano di sotto. Procedevamo una dietro l'altra, come gli esploratori,
guardandoci intorno e per terra.

La luce del sole riusciva a entrare solo sulla facciata della casa, mentre la parte piú addossata al terrapieno restava in ombra, era quasi buia e aveva persino un'altra temperatura, piú fredda. Scoprimmo – non ce n'eravamo mai accorte, in tanti anni –, che la nostra casa aveva livelli diversi di pendenza. Perciò alcune zone erano già riemerse, ma sul retro c'erano ancora delle chiazze d'acqua stagnante e dei rivoli che correvano silenziosi lungo i battiscopa.

Tutto sapeva di muffa e terra, e le scarpe affondavano nello strato di mota. I muri erano bagnati e scuri fino a un metro, avremmo dovuto raschiare via l'intonaco per farli respirare. Il divano era completamente fradicio, però i mobili di legno, forse quelli saremmo riuscite a salvarli.

Talvolta gli oggetti affioravano dal fango solo per metà, alcuni vasi di terracotta di mia madre comparivano ancora integri, altri si erano frantumati in decine di pezzi che sbucavano dal terreno come zanne. C'erano dei tronchi d'albero infilati sotto i mobili, dei filamenti lunghi di poseidonia appoggiati alle poltrone e ogni tanto s'inciampava in un ramo fitto di foglie o in una pietra, in un mucchio di terra o in un ammasso di radici e rovi, a cui magari nel frattempo erano riuscite ad attaccarsi delle conchiglie.

Raggiungemmo una delle due cucine. Gli infissi avevano ceduto, le ante delle finestre si erano aperte e i vetri rotti, le pentole rovesciate. E però al centro della stanza c'era ancora il tavolino, perché aveva il piano di marmo ed era pesante e nessuna corrente sarebbe mai riuscita a spostarlo. Una sedia stava incastrata accanto al lavabo insieme a uno sgabello. Li tirammo su, la mamma e io, senza metterci d'accordo e ci sedemmo intorno al tavolo, quasi non ci fosse altro da fare.

– Un bel disastro, vero?

– Abbastanza, sí.

La mamma, dopo un momento di silenzio, disse:

– Chissà cosa farebbe tuo padre in una situazione del genere.

Poteva stare senza parlarne per mesi, come se non fosse mai esistito, e poi, all'improvviso, di fronte a un problema o un inconveniente, si chiedeva come avrebbe agito papà, quasi che andandosene troppo presto, lui si fosse portato via anche una serie di soluzioni praticabili.

– Va be', in qualche modo faremo. In qualche modo si fa sempre, alla fine – . E poi aggiunse: – Adesso vieni, voglio andare a vedere una cosa.

– Cosa?

– La barca, voglio vedere com'è messa.

Ma a quel punto arrivò la nonna.

– Non lo sentite?

– Che cosa?

– Rinfrescume. C'è dappertutto.

Era sempre lei a sentire quell'odore per prima.

– E voi che fate lí sedute? Volete un caffè, per caso?

– Stavamo cercando di capire.

– Di capire cosa?

– Come procedere, – disse la mamma, senza avere il coraggio di confessarle che la sua vera intenzione era quella di andare a controllare la barca.

– C'è poco da capire, bisogna lavorare. Tu, Cè, vieni con me e tu Agata man mano che ti diamo la roba, la sistemi.

La nonna cominciò a prendere gli oggetti che erano nelle mensole piú alte e che il fango non aveva raggiunto. Me li passava e mi ordinava dove sistemarli. Continuai a fare su e giú per le scale, mentre lei diceva a voce alta il nome delle cose man mano che le ritrovava – il ferro da stiro, la padella per le castagne, il posacenere bianco, la caraffa dell'acqua, l'attaccapanni – e sembrava quasi che le stesse battezzando o inventando da capo.

Verso le tre del pomeriggio tornò l'acqua corrente.

La luce no, non ancora, ma l'acqua cominciò a scorrere di nuovo nei tubi e, anche se continuava a non essere potabile, riuscimmo ad attaccare la pompa del giardino e cominciammo a sciacquare le stanze, a spalare il fango e pulire il pavimento.

Alcuni vicini di casa vennero a darci una mano. Sembrava un'impresa senza fine, la terra si era infilata dappertutto. Trovammo un remo incastrato sotto il tavolo del salotto, fra il divano e la libreria spuntò un parabordo.

I regali che avevo appoggiato sulla cassapanca non c'erano piú. Nel fango recuperammo delle forchette, una manciata di cucchiai, una padella antiaderente e la lampada a forma di gatto, con il paralume rotto, che aveva resistito alla corrente. Nient'altro.

Poi cominciò a imbrunire. I vicini e gli uomini della protezione civile si allontanarono, tanto per quel giorno non si poteva piú combinare molto. La nonna si fece piú lenta, meno convinta, aveva difficoltà a distinguere gli oggetti, finché decise di smettere e andare di sopra.

La mamma sembrava non aspettare altro. Sgattaiolò subito fuori e mi chiamò sottovoce perché uscissi anch'io.

Il giardino era di nuovo immerso nel silenzio. Le piante e le foglie grandi delle agavi negli angoli erano diventate nere e piú aguzze, ma sopravviveva intorno alla casa un chiarore sulfureo. Passammo sotto al melograno che tagliava a metà lo spiazzo e raggiungemmo la barca. Adesso che non c'era piú l'acqua, pendeva di fianco alla casa a un metro e mezzo da terra tra il mio balcone e la finestra. La mamma ci girò intorno.

– Che dici, Agata? Lo scafo sembra non avere danni e non ci sono falle. Un po' la vernice è scrostata, c'è qualche asse schiodata, ma non sarà un gran lavoro –. Ci passò una mano sopra, percorrendola dalla poppa alla prua, e alla fine, soddisfatta, concluse: – La rimetteremo a posto per bene. Adesso aiutami che la dobbiamo tirare giú.

Sganciammo gli ormeggi e riuscimmo in qualche modo a farla scendere prima da un lato e poi dall'altro, finché non toccò terra.

– Domani la portiamo vicino alla rimessa e cominciamo a lavorarci, che dici?

Feci di sí, ma dentro di me pensai che in realtà la nonna non ce l'avrebbe mai permesso. Quel pomeriggio era stata una furia, decisa a cancellare ogni traccia della tempesta e del fiume. Aveva spazzato, cercato, pulito, e ovviamente preteso lo stesso da noi, perciò il giorno seguente, con piú ore a disposizione, sarebbe stato lo stesso, se non peggio, e della barca, pensavo, non ci saremmo piú potute occupare. Ma mi sbagliavo, perché la nonna il giorno dopo alla casa non avrebbe pensato affatto, non avrebbe recuperato i resti del nostro naufragio, né pulito o spolverato.

Mia madre disse:

– Vedrai, Agata, la rimetteremo di nuovo in mare la nostra bella barca.

Quando salimmo al piano di sopra, la nonna stava al buio, seduta per terra vicino alla stufa. Aveva fatto la doccia e ogni tanto si passava una mano tra i capelli perché le si asciugassero piú in fretta, mentre con l'altra accarezzava Madama Butterfly. Adesso non sembrava piú preoccupata che potessimo vederla.

– Che fine farà?

– Nessuna fine, tornerà nel bosco, – disse mia madre.

– Le sparano se torna nel bosco.

La mamma guardò un momento Madama Butterfly. Dormiva stremata, dopo tutte le corse che aveva fatto per stare dietro alla nonna.

– Allora la terremo. Bisognerà capire come fare, ma ci sarà un modo, qualcuno ce li ha gli allevamenti di cinghiali. Insomma non sarà tanto diverso da un gatto, alla fine.

La nonna si voltò.

– Dici davvero, Cè?

– Certo, in qualche modo faremo. Rimetteremo in sesto la casa, puliremo tutto, recupereremo quello che si potrà recuperare.

E io dissi: – E pianteremo di nuovo l'albero.

– Sí, anche l'albero, e poi aggiusteremo la barca e terremo il nostro cinghiale al sicuro dai cacciatori. E anche il resto si metterà a posto, troveremo un modo –. La mamma sorrise, come se fosse già tutto sistemato.

Facemmo la doccia e dopo che ci fummo asciugate accanto alla stufa – erano quasi le sei di sera, a quel punto – io proposi di andare al ponte.

– Ottima idea.

Sparirono a vestirsi e truccarsi. La crema per il viso, il fondotinta, l'ombretto e il mascara, i capelli a posto. Anche nella tempesta.

Togliemmo le pile dal lettore cd e le usammo per le torce perché, a parte dove lampeggiavano i mezzi di soccorso, il lungofiume era ancora al buio.

Mia madre prese un coprispalla e la borsetta, poi si bloccò un momento in mezzo al piano. Andò diretta verso quella specie di sala da pranzo che avevamo arrangiato sul ballatoio. Si guardò intorno e recuperò da terra *L'isola del tesoro*. Tra le pagine c'era il suo coltello a serramanico, come a tenere il segno. Fece scattare la lama, lo chiuse, e lo infilò nella borsa.

Andava in giro armata, la mamma. Come la nonna.

Diciassette

Il ponte faceva impressione, il taglio secco della strada, il vuoto improvviso in mezzo. Sulle due sponde si erano radunate parecchie persone e stavano lí a guardare l'acqua, ma non dicevano niente, e il paese intero continuava a essere sprofondato in un silenzio irreale.

Alla struttura avevano fissato dei fari che illuminavano il fiume e la parte che era crollata. Contro i piloni si erano accumulati tronchi e cespugli di rovi attraverso cui l'acqua scorreva ancora gonfia e rapida. A cedere era stato il pilastro centrale, che ora affiorava dalla corrente monco, e con tutti i ferri del cemento armato scoperti e ritorti.

Proseguimmo verso il limite estremo. Appena prima del salto la protezione civile aveva sistemato un nastro bian-corosso, e noi arrivammo fino a dove si poteva. La temperatura si era alzata di nuovo, l'aria emanava un odore limaccioso ed era infestata da moscerini e zanzare. Attratti dalle carcasse delle cose, gli insetti vorticavano nella luce dei fari e sopra la superficie dell'acqua come impazziti.

Qualcuno ci disse che avrebbero cominciato a lavorare quella sera stessa. Dovevano fare presto, non è che Bocca di Magra potesse restare isolata, dissero, e con la strada le cose erano molto piú difficili, perché lí aveva ceduto proprio il costone.

– Stasera? – domandò la mamma.

Ci dissero che sí, stavano preparando i materiali e le squadre a Marinella, e le chiatte su a Sarzana. Era previsto bel tempo, quella settimana, e forse anche la successiva, ma era comunque meglio muoversi, non si poteva mai sapere.

La nonna si avvicinò al parapetto, gettò un'occhiata lunga e meditabonda al Magra, poi si voltò verso di noi.

– Dovranno demolirlo, – sembrava che se ne fosse resa conto soltanto in quel momento. – Che dite? Lo faranno saltare con qualcosa, per demolirlo?

– Non ne ho idea, – rispose la mamma.

– E per forza. Sennò come? C'è ancora tutta la struttura laterale, i piloni dovranno buttarli giú per forza se devono costruire un ponte nuovo.

La mamma e io ci guardammo. La nonna sembrava all'improvviso molto interessata alla sorte dei piloni e ai metodi che gli operai avrebbero usato per procedere alla demolizione. La cosa difficile da capire era perché. Me lo chiesi in quel momento e nelle ore successive, quando si mise a seguire i lavori come fosse uno degli ingegneri.

Adesso si stava sporgendo ancora un poco dalla balaustra laterale.

– Forse useranno la dinamite, – disse. – Come si fa in cava.

Intendeva le cave di Carrara, dove effettivamente per staccare i blocchi dalla montagna facevano brillare l'esplosivo.

– Sí, di sicuro useranno la dinamite, – ripeté. – Come le facciamo stasera le mezze maniche? Ci sono dei pomodori. Prepariamo un sugo crudo, oppure al burro?

Al rientro, scoprimmo da lontano che era tornata la luce. Le finestre della nostra casa erano accese, proprio come le avevamo lasciate prima che il fiume esondasse. Era bello guardare le camere da quella distanza, aveva qualcosa di sorprendente, e cosí ci fermammo ancora per un po' sull'argine, tutte e tre.

Neanche per un momento pensai al telefono, al fatto che, siccome era tornata la luce, l'apparecchio fisso funzionava di nuovo. Non ci pensai finché non lo sentimmo squillare, sulla soglia di casa. La mamma, la nonna e io ci guardammo come se non capissimo cosa fosse, come fossero bastati quei pochi giorni per farci dimenticare l'esistenza degli apparecchi telefonici. Fu mia madre a voltarsi, e a indicare con sorpresa, e forse leggero sgomento, un punto indeterminato della sala.

Andai verso la libreria e quando, al decimo o dodicesimo squillo, finalmente risposi, dall'altra parte Giacomo disse soltanto, sono io.

La sua voce mi fece un effetto stranissimo, mi sembrava diversa e lí per lí non riuscii a dire niente. Mi chiese come stavo, mi disse che ci aveva aspettato, dall'altra parte, e ogni volta che arrivavano le barche o i mezzi di soccorso pensava di vederci. Finché non gli avevano detto che stavamo bene e che non ci saremmo mosse da Bocca di Magra.

– Perché non siete venute? Perché siete rimaste lí, nessun altro c'è rimasto.

– La casa non è cosí danneggiata, – gli dissi. – Solo il piano terra, e noi siamo state di sopra. Non volevamo venire via. Insomma, la nonna e la mamma non volevano abbandonare tutto, visto che non ce n'era neppure bisogno.

– Ma io... tu... Almeno tu potevi venire.

– No che non potevo. Dovevo restare con loro. Ci siamo arrangiate.

Leggiamo *L'isola del tesoro*, ceniamo sulla mia scrivania e guardiamo vecchie fotografie – avrei voluto dirgli –, ci proviamo i vestiti e alleviamo un cinghiale, ma mi resi conto che non avrebbe capito e cosí aggiunsi soltanto:
– C'erano persone che avevano piú bisogno di noi e poi dobbiamo sistemare le cose, abbiamo parecchio da fare.

– Non mi lasciano arrivare lí.

– Sí, lo so. Non preoccuparti. Non lasciano nessuno, ma è giusto, in questo modo si lavora meglio, verrebbero i soliti ficcanaso. Comunque le cose sono già parecchio a posto, sai? È tornata anche la luce e l'acqua se n'è andata completamente. Ora resta solo da pulire e ci sono gli uomini del paese e i pompieri che ci aiutano. Stai tranquillo.

– E tu come stai?

– Bene, sto bene, – dissi e mentre glielo dicevo mi resi conto di quanto fosse vero. Stavo bene ed era tanto che non mi sentivo cosí.

All'inizio, quando la mamma e la nonna non avevano voluto lasciare la casa e si erano messe a fare i letti con l'acqua di sotto che occupava le stanze, avevo protestato, ma poi, mentre il vento calava, mentre i mezzi di soccorso andavano avanti e indietro sul fiume, e arrivavano le chiatte e le ruspe, il tempo aveva smesso di scorrere, il silenzio si era infilato nelle cose, e la nonna, la mamma e io avevamo preso posto in quella penombra.

– Sto bene, – ripetei. – Stiamo tutte bene.

– Iniziano i lavori al ponte.

– Ci siamo state. La nonna ha detto che lo faranno saltare con la dinamite, – e per qualche ragione provai una specie di dispiacere, come se averglielo raccontato potesse sciupare la cosa, corrompere quelle parole della nonna cosí inaspettate, nell'aria improvvisamente limpida di poco prima.

A Giacomo comunque non doveva importare molto, perché si limitò a ripetere quello che anche noi avevamo sentito nel pomeriggio, che avrebbero eretto una struttura temporanea, probabilmente di legno, in modo da arrivare fino alla primavera successiva, e che poi, superato l'inverno, avrebbero costruito il ponte vero e proprio, in cemento armato. La previsione era che per la struttura in legno ci volessero un paio di settimane.

– Ma ci vorrà di piú, – mi sentii dire.

La mia voce era stata dura, me ne resi conto. Ci fu un silenzio piú denso dall'altra parte, poi Giacomo disse:

– Che ne sai?

– No, non è che lo so. È un'impressione.

Mi venne in mente un pomeriggio al mare. Era già metà settembre e me ne stavo sulla spiaggia, quella in fondo al paese. I ragazzi della colonia se n'erano andati, le persiane della Casabianca si erano di nuovo chiuse, le stanze svuotate, ma io non c'ero mai più tornata. Giacomo era arrivato soltanto la sera, la spiaggia era già in ombra e cominciava a fare freddo. Mi si era seduto accanto e mi aveva dato un pacchetto.

Che cos'è? Un regalo, mi aveva risposto. Dentro c'era una maschera da sub. La mia si riempiva sempre d'acqua cosí aveva deciso di regalarmene un'altra. Lo avevo ringraziato, ma poi l'estate era finita e io quella maschera non l'avevo mai usata.

– Sai, – dissi a un tratto, – il giorno della tempesta è arrivato il vestito.

– E com'è?

Era bello il mio vestito da sposa. Leggero. Continuava a oscillare a ogni raffica di vento. Ed era caduto. Ed era bianco. Come un fantasma, come la casa in fondo alla spiaggia.

Giacomo mi disse che appena avessero aggiustato tutto, avremmo capito come fare. Ci sposiamo subito, pazienza il pranzo, cercheremo un altro posto, disse. Prima di riattaccare mi domandò di nuovo come stavo, c'era una specie di allarme nella sua voce.

Gli dissi che la nonna e la mamma mi aspettavano, che c'erano parecchie cose ancora da sistemare e che la prossima volta lo avrei chiamato io e in qualche modo la telefonata finí. Credo che lui disse ancora qualcosa su una sua zia che ci aveva regalato un copriletto e io mi immaginai quella parola, copriletto, che non avevo mai sopportato, perché me la sentivo in bocca, sentivo la lana in gola. Mi sembrò di vederla entrare nel cavo del telefono quella parola, pelosa, spessa, e scendere sottoterra in tubi lunghi e resistenti, e da lí arrivare fino al mare, per poi sprofondare nell'acqua, e mi vennero in mente i percorsi sottomarini, i fondali e i pesci orrendi e lucenti degli abissi che quei tubi cercavano di mangiarseli.

Quando riagganciai, corsi in camera mia e presi a cercare ovunque, dovevo pur averla da qualche parte, nei cassetti, in fondo al mobile o nelle ceste. Ma la maschera non c'era, non sapevo piú dove l'avevo messa, me n'ero completamente dimenticata e di colpo scoppiai a piangere.

Piangevo e aprivo i cassetti e le ante del mobile, frugavo in tutti i ripiani dello schedario, finché a un tratto non vidi la chiave dell'appartamento di Marinella. Quella che non avevo mai usato, con cui non avevo mai aperto la porta, che dimenticavo sempre ogni volta che andavo. Lí accanto c'era anche la chiave della stanza 14. Era strano vederle vicine. Ce le avevo messe io, eppure adesso non sapevo spiegarmi perché fossero nello stesso cassetto.

Afferrai la chiave del San Giors. Il batacchio era levigato e appena freddo, sorprendente al tatto, come a volte è la plastica. Il numero 14 e la Mole sull'altro lato. E allora tutta la tristezza si trasformò d'un tratto in una specie di rabbia, come se fosse colpa di quella chiave e di chi l'aveva rubata se io avevo fatto l'amore con Pietro e mi ero nascosta per tutta l'estate e se adesso non trovavo piú neanche la maschera da sub che Giacomo mi aveva regalato.

Chiusi la porta e tirai fuori la scatola della nonna dall'armadio. La rivoltai sul letto, con una specie di furore, e con le mani aperte sparsi tutto quello che c'era dentro. E fu allora che vidi la foto in cui ballavano e il ritaglio di giornale sul ponte Parabolico.

Lui era di spalle e non riuscivo a vederne il viso, sembrava che la baciasse su una guancia mentre ballavano. Mia nonna.

Da come si stringevano pensai che fossero innamorati. Il ragazzo si vedeva male, ma era bruno, alto e robusto come la sagoma nello specchio.

Chi aveva scattato quella foto doveva averlo fatto di nascosto, dalla stanza accanto. Si vedeva una sedia, un tavolo e dietro una stufa e un pezzo di lavandino, in fondo. Stavano ballando in cucina.

In cucina, proprio come avevamo fatto Pietro e io.

Di colpo mi sentii venire addosso tutta la nostalgia, ripensai alla terrazza di Manarola, alla finestra di Pietrasanta, all'unico piatto di spaghetti preparato insieme, al materasso spostato, alla notte in cui avevamo dormito insieme e aggiunto il sonno alla nostra collezione di gesti quotidiani.

E allora la storia della nonna, qualunque fosse, mi sembrò si confondesse con la mia, che andassero a sovrapporsi e a scambiarsi. Dovevo capire, e mi prese una specie di urgenza, come se avessi poco tempo, come se il fatto stesso che fosse stata riattaccata la luce, e il livello della piena fosse sceso, e le strade avessero ricominciato ad apparire rappresentasse un pericolo.

È andata via, aveva detto la mamma. Cosí in fretta, vero?

Sí, tutto tornava normale e lo stava facendo in fretta, troppo in fretta.

Guardai di nuovo le cose sparse sul letto, i fogli e le fotografie, e a quel punto vidi l'articolo di giornale.

Era piegato, su un lato c'era la pubblicità delle pastiglie Valda, sull'altro si leggeva: *La ricostruzione del Ponte Parabolico: da qui passò la libertà* e sotto c'era una fotografia d'epoca, scura e sgranata, piena di uomini in camicia bianca e bretelle, arrampicati sull'impalcatura del ponte. Qualcuno indossava un berretto, qualcuno aveva le maniche arrotolate. Guardavano tutti in macchina, e la fissità della posa sembrava aumentarne la determinazione.

Perché mia nonna aveva tenuto quell'articolo? Controllai se per caso uno degli uomini arrampicati sulle arcate potesse avere qualcosa in comune con il tipo che ballava con lei in cucina, ma nella fotografia di quel ragazzo bruno si vedeva appena il disegno del profilo e la nuca, era un'impresa insensata pensare di riconoscerlo.

Piú sotto, si leggeva:

«I lavori post bellici di rifacimento del ponte Parabolico sul Taro».

Di fianco, a pennarello, c'era scritto: «Ecco il ponte dopo i bombardamenti dopo la Guerra». E questa volta la grafia era quella di mia nonna, la stessa con cui scriveva le ricette o la lista della spesa.

Era una scritta inutile, comunque, che parafrasava la didascalia stampata, e però mi colpí la ripetizione della parola *dopo*. La ripetizione di una parola in una frase dà sempre un po' fastidio, ma lí c'era qualcosa di diverso, ci sentii come una particolare insistenza, come la sottolineatura di un tempo che doveva passare: *dopo* i bombardamenti e *dopo* la Guerra.

C'era freddo e fame e buio, e avevamo sempre paura, aveva detto la nonna. Avevamo sempre paura.

Lessi l'articolo.

Si parlava della divisione Centocroci, i partigiani capeggiati da un tale Beretta. C'era scritto come si era formato il gruppo e chi c'era, e delle loro imprese nell'Alta Val di Vara, della popolazione che li aveva aiutati.

Andai avanti piú veloce, lessi del Cln di La Spezia e di quello di Parma e delle azioni della Centocroci. I presidi fascisti attaccati, i posti di avvistamento, l'occupazione della stazione di Ostia Parmense e di come avevano fatto saltare il ponte Parabolico sul Taro, lo stesso della fotografia.

A quel punto l'articolo si interrompeva perché lí era stato tagliato.

Cercai la fotografia con la pistola. Mia nonna sorrideva e continuava a puntarmela contro, fasciata nel suo vestito estivo, e solo allora mi resi conto che quel vestito era lo stesso che indossava mentre ballava col ragazzo bruno in cucina.

Rimisi tutto a posto, presi la chiave della stanza 14, me la infilai in tasca e andai di là.

Avrei domandato a mia nonna di chi fosse quella chiave.

E poi le avrei domandato della pistola e di quell'uomo che dormiva nella finestra cerchiata di rosso e scriveva dietro alle sue foto, quell'uomo che le mandava cartoline senza firmarle e che di sicuro era lo stesso che ballava con lei in cucina. E cosa c'entravano i partigiani e cosa c'entrava lei.

Strinsi forte il pugno nella tasca fino a sentirmi i denti della chiave nella pelle del palmo. Ora glielo domando, pensai, le domando della chiave 14. Forse cosí speravo di capire cosa dovevo fare io con la mia di Marinella. Come se la nonna avesse una risposta generale sul perché si tengono le chiavi, chiavi che aprono porte non piú a nostra disposizione, o porte che per qualche ragione non vogliamo aprire.

Forse volevo anche sapere cosa si fa coi segreti, con il potere straordinario che ti danno e che però, a tratti, vorresti smettere di avere.

Mentre preparavo la tavola e durante la cena, ogni tanto mi premevo in tasca la chiave dell'Hotel San Giors e il suo batacchio. E guardavo la nonna, in attesa del momento giusto.

Era bella. Alta, con una figura snella e insieme femminile, che non aveva smarrito neppure un poco di grazia negli anni. Il suo viso e la sua pelle non avevano perso lucentezza, e i capelli, anziché diventare bianchi, si erano come indorati sulle punte, conservando una sfumatura rossa piú profonda. Era bella, anche se a volte era difficile immaginarla bella, per via di quella speciale durezza nei modi, che la rendeva di tanto in tanto troppo rapida, spigolosa. Avevo sempre avuto l'impressione che mio nonno con la sua morbidezza, il suo buon carattere, la sua allegria, andasse a chiudere proprio i vuoti della nonna, le sue interruzioni improvvise, le sue angolature. Come se riuscisse a renderla tonda laddove lei era solo forme aguzze. Quando era morto, ecco che lei era tornata a pungere.

Ma forse non l'avevo mai capita completamente, un po' come mia madre non aveva mai capito il Giappone.

149

– So chi l'ha presa, – dissi.

La nonna e la mamma stavano parlando e mi resi conto di averle interrotte. Si voltarono a guardarmi.

Sorrisi, o almeno provai a farlo, e tirai fuori dalla tasca la chiave dell'hotel. Mia madre fece un'espressione strana, che non riuscii a decifrare del tutto, mentre mia nonna ebbe come uno scatto. Una scossa brevissima che le attraversò il corpo, ma non disse niente.

– Ho trovato una cartolina…

Ma prima che potessi finire, la nonna allungò la mano e prese la chiave.

– Quante cianfrusaglie. Siamo piene di cianfrusaglie, – disse e si alzò a sparecchiare, lasciando la chiave sul tavolo.

– Forse l'hanno rubata per ricordo, – provai a insistere, ma la nonna neppure si voltò a guardarmi, continuava ad andare avanti e indietro, con gesti persino piú veloci del solito. Schizzava da un punto all'altro della stanza, toccava un oggetto e quello pareva spingerla via con una forza improvvisa, e Madama Butterfly la inseguiva infilandosi tra i suoi piedi e facendola di colpo fermare, svicolare, a tratti perdere per un attimo l'equilibrio. Mi faceva quasi pena, ma volevo andare avanti, dovevo sapere, e invece, prima che potessi dirle qualcos'altro o provare a fermarla, sentimmo una sirena e subito dopo arrivarono i primi camion.

La mamma si alzò e andò sul terrazzo in camera mia. Disse, venite, venite a vedere. La raggiungemmo e dall'altra parte, verso il ponte, vedemmo le betoniere e i mezzi con gli argani, e poi da monte dove c'erano i rimessaggi cominciarono a scendere le chiatte con i container per gli uffici e gli attrezzi e le gru montate sopra. I fari sparavano su tutto il fiume, e improvvisamente sembrava giorno, da tanta luce che c'era e l'acqua mandava bagliori ora bianchi ora arancio. Gli uomini con le torce sui caschi si sparpagliavano lungo la strada, percorrevano i monconi d'asfalto, e si gridavano gli ordini l'uno con l'altro.

– Non ce la faranno in due settimane, – disse la mamma.

E la nonna: – No, in due settimane non se ne parla proprio.

– E anche la strada, ci vorrà parecchio per sistemarla.

– Quella poi è anche peggio, se ha ceduto il terreno almeno un mese.

Si tenevano strette alla balaustra del balcone e parlavano una alla volta.

– La casa dovremo tinteggiarla, buttare via parecchia roba. È solo l'inizio. Ci vorrà tempo.

– Comunque di sicuro piú di due settimane.

Ci fu una pausa, come una macchia opalescente, poi la voce della mamma che dice: – E tu, Agata, tu non ti devi sposare per forza.

E la nonna che aggiunge: – No, assolutamente. Sarebbe stupido sposarsi per forza, nessuno ci obbliga.

Quella sera prima di andare a letto, rimasi per qualche minuto a guardare il mio vestito.

Bello, bianco e imperterrito. Al centro della stanza.

Lo tolsi dalla gruccia e feci scorrere la cerniera verso il basso. Scavalcai la gonna prima con un piede e poi con l'altro, quasi fosse una specie di ostacolo, e ci entrai dentro.

Quando l'ebbi addosso mi venne voglia di uscire sul balcone, non so perché, era la cosa meno appropriata, la piú assurda, ma lo feci e subito il vento, che si era alzato di nuovo sul fiume, prese a sollevare ogni velo e spanna di tulle.

Il libeccio s'infilava nella gonna, soffiava tra le mie gambe e increspava l'organza. Allora pensai, magari adesso me ne volo via, una folata piú forte e succede. Magari succede.

Diciotto

Alla fine non ero volata via, no. Ero tornata in camera e mi ero spogliata. Avevo continuato per un bel po' a guardare il soffitto e le pareti della stanza, il profilo delle scaffalature e dell'armadio su cui si riflettevano le luci e i bagliori che arrivavano dal ponte. In certi momenti il giro di un lampeggiante intercettava il mio abito, di nuovo appeso. Si era bagnato. Il vento ci aveva posato sopra uno strato invisibile di umidità e, rimettendolo a posto, ci avevo sentito come un'eco d'acqua dentro.

Cosí ora, mentre i fari delle betoniere lo illuminavano, io immaginavo che il giorno del matrimonio in tutta la chiesa si sarebbe sparso l'odore della tempesta, delle barche alla deriva, di muschio e terra smossa e dei tronchi d'albero che cadevano.

E tu, Agata, tu non ti devi sposare per forza, aveva detto la mamma.

Nessuno ci obbliga, aveva aggiunto la nonna.

Era stato a quel punto che avevo ripensato alla chiave. Mi era venuto in mente come la nonna me l'avesse presa di mano – quante cianfrusaglie, siamo piene di cianfrusaglie –, e il modo in cui l'aveva subito lasciata, quasi scottasse, e solo allora mi ero ricordata che l'aveva messa sul tavolo.

Dovevano essere ormai le due passate quando mi alzai e, piano, tornai sul ballatoio. La casa era completamente silenziosa e sapeva di fango. Arrivai fino al tavolo senza fare rumore, ma la chiave non c'era piú. La cercai per terra e un po' in giro, ma niente. La nonna doveva essersela ripresa.

La mattina dopo trovai la mamma che preparava il caffè. Sulla scrivania c'erano una tazza per me e una per lei, il latte e i biscotti, ma mancava la tazza della nonna. Di lei non c'era ombra.

Esattamente come non c'era piú ombra della chiave della stanza 14.

Restai lí impalata a fissare il suo posto vuoto, finché la mamma mi disse: – La nonna è giú.

– Giú dove?

– Al pontile.

Il pontile era il posto che stava appena oltre la strada, di fronte a casa nostra. Si trattava di uno spiazzo di cemento sotto gli eucalipti da cui partiva un molo di legno per le barche. Il molo era stato quasi completamente distrutto e il livello del fiume, ancora piuttosto alto, circondava la piattaforma di cemento, i cui bordi, secondo il vento e le correnti, a tratti finivano sott'acqua. Nella parte piú vicina alla strada c'era una panca di legno e a volte, nelle sere d'estate, ci sedevamo là a guardar passare le barche. Mi affacciai dal balcone. L'aria era calda. Era come se la stagione fosse tornata indietro di qualche mese e dal terreno si alzava come una specie di fumo o nebbia. Le foglie delle agavi fumavano e le siepi d'alloro e il tronco del melograno e l'ulivo e il noce e la mimosa. Fumava anche la barca in mezzo al cortile, il legno sembrava respirare piano.

In fondo a quella distesa di vapore se ne stava seduta la nonna e fissava l'altra sponda con un binocolo da teatro.

– Che fa?

– Non so, è da stamani presto che sta là sotto. Ha detto che vuole seguire i lavori. Le ho dato il binocolo da teatro perché non ho trovato l'altro. Sai, quello di papà, forse è in qualche mobile giú, ma c'è una tale confusione. Comunque credo che vada bene anche quello da teatro. Il ponte non è poi tanto distante.

– Ma perché?

– Perché cosa?

– Perché deve seguire i lavori del ponte?

– Lo sai, Agata, come sono i vecchi, che appena c'è un cantiere per strada ci si mettono intorno, sarà una cosa simile. Per passare il tempo.

Per passare il tempo? C'era una infinità di cose da mettere a posto e la nonna in quelle situazioni era sempre molto solerte.

Scesi di sotto.

La trovai seduta in punta sulla panca, indossava un abito rosso che non le avevo mai visto prima e uno scialle nero sulle spalle. Sembrava alla prima di un'opera. Per l'eleganza, per il modo in cui stava dritta, accomodata sulla panca di legno neanche fosse una poltrona di velluto e per via del binocolo, con cui sorvegliava i dintorni.

– Buongiorno nonna.

Si voltò a guardarmi, nient'affatto contenta di vedermi.

– Che ci fai in pigiama?

– Sono scesa per salutarti.

– Ma ti sembra? Ti può vedere qualcuno. Vatti a vestire, ma io proprio non so dove hai la testa, venire in strada in pigiama.

– Non c'è nessuno in giro, a chi può importare se sono in pigiama?

– Importa a me. Mia nipote.

Mia nipote non si capiva bene con che tono lo avesse detto, se fosse una specie di annuncio, una constatazione, una lamentela. Comunque si strinse lo scialle addosso e tornò a guardare col binocolo.

– Che fanno?

– Lo demoliscono e liberano la zona dai detriti. Ci vorranno due giorni solo per quello.

Parlava senza staccare gli occhi dalle lenti e ogni tanto con l'indice sistemava la rotellina della messa a fuoco. «Sarebbe stupido sposarsi per forza, nessuno ci obbliga».

Nessuno ci obbliga, come se la cosa ci riguardasse tutte. Mi aveva fatto sentire improvvisamente meno sola.

E, chissà perché, adesso mi veniva da pensare che in effetti era cosí, era semplice, nessuno ci obbligava. Forse il sole, forse l'aria del mattino. Mi sembrò di non avere niente di tanto importante da fare. Certo c'era la casa, il fango da spalare, i mobili e le librerie da pulire, ma c'era tempo. Avevamo tutto il tempo che ci pareva. Nessuno ci poteva obbligare. Mi sedetti accanto alla nonna e restai a guardare dalla parte del ponte. Arrivavano i camion e dopo un po' ripartivano, le gru delle chiatte si immergevano e prelevavano il fango e la sabbia e i tronchi che si erano accumulati. Dragavano il fondo del fiume, mentre giungevano anche i mezzi speciali coi carichi di tubi e le betoniere e gli operai andavano avanti e indietro.

Feci per alzarmi, ma poi restai dov'ero.

– L'hai presa tu la chiave?

– Che chiave?

– La chiave dell'Hotel San Giors, nonna. Ieri sera non c'era piú, sul tavolo. Te la sei ripresa?

Restò in silenzio un momento, poi disse che c'era tutto in giro, che non si poteva lasciare tutto in giro. Poi aggiunse:

– Allora, che aspetti? Vatti a vestire.

Rimase tutta la mattina sul lungofiume mentre io e la mamma lavoravamo in casa. La sua assenza ci faceva sentire sollevate, perché potevamo procedere come ci pareva.

E come ci pareva significò per prima cosa occuparci dell'albero.

– Stanotte l'ho sognato, – disse la mamma. – Non mi ricordo niente a parte che c'era l'albero e che noi cercavamo di tirarlo su. Credo proprio che dovremmo provarci.

Per un attimo pensai di suggerire alla mamma di chiamare qualcuno dei vicini, degli uomini, di farci aiutare. Ma poi mi vennero in mente Karen Blixen sulle colline NGong e le coltivazioni della Duras in Cocincina e allora pensai che toccava a noi, in fondo dovevamo avere a che fare solo con un melograno. Sorrisi e dissi, dài andiamo, se l'hai sognato qualcosa vorrà dire di sicuro.

La mamma sistemò Madama Butterfly in camera mia perché non scappasse e mi disse che poi avremmo pensato anche a lei, bisognava costruire un recinto o qualcosa del genere perché si abituasse e non andasse nella strada e meno male che la strada era piena di fango cosí per un bel po' non ci sarebbero passate le macchine.

– Ma davvero la teniamo?

– Certo. Hai visto la nonna come s'è affezionata? E forse ha ragione, se la rimandiamo nel bosco le sparano. È nei primi mesi che imparano a cavarsela e capiscono che sono cinghiali, lei però è stata con noi, adesso non lo può piú capire di essere un cinghiale.

– E allora a stare con noi cosa pensa di essere? – le domandai ridendo.

Scendemmo nella rimessa. Prendemmo le cime, la vanga e le cesoie. Fummo costrette a potare le radici danneggiate e ad alleggerire la chioma perché l'albero era debole. Poi scavammo la terra e quando la buca fu abbastanza profonda, passammo la cima intorno al tronco e tirammo su il melograno per interrarlo. Alla fine del lavoro, la mamma slacciò la cima e gli diede un colpetto sul tronco dicendo, forza adesso, come a incoraggiarlo.

Poi rivolta a me, aggiunse:

– Ora pensiamo ai libri e alle tende.

Le tende erano fradicie e fu un'impresa levarle dalle finestre e portarle fuori. Le attaccammo allo stenditoio con le mollette, qualcuna anche alla rete di recinzione e ai rami del ciliegio che tanto era spoglio e si prestava bene. I libri li stendemmo al sole e i piú bagnati e leggeri li fermammo con le mollette, a cavallo dei fili per i panni. Il vento li sfogliava e dappertutto, ora, c'era una specie di fruscio.

Cominciammo a portare le cose in giardino, preoccupandoci poi di metterle piú o meno com'erano in casa, con lo stesso ordine. Ci passavamo l'acqua sopra e le lasciavamo asciugare. Tutto gocciolava piano nel sole. Il divano e le poltrone fumavano e producevano nebbia, e il tavolino col piano di quarzo brillava con una luce che in salotto non aveva mai avuto. La vetrina della dispensa, che miracolosamente non s'era infranta, scintillava, e lo stesso facevano i vassoi d'argento della nonna e la porcellana dei vasi in mezzo al loro vapore.

All'ora di pranzo portammo fuori le sedie e il tavolo della cucina e ci sistemammo lí a mangiare un po' di salame e dei crackers perché non si poteva davvero pensare di cucinare pure quel giorno. La mamma aveva raccolto qualche carota da sotto terra. Non erano grandi, ma erano salve e tanto bastava. Le aveva pulite e tagliate e adesso mi sembravano piú buone di qualunque carota avessi mai mangiato.

Quel pranzo lo ricordo cosí, nella luce forte del sole, con la terra tutt'intorno e il nostro tavolo di cucina piantato nel mezzo. Restammo in silenzio, nella temperatura che sembrava primaverile, come se fossimo nella nostra cucina. In strada non c'era quasi nessuno, stavano tutti lavorando nelle case intorno o erano al ponte, ma quei pochi che passarono davanti al nostro cancello ci fecero un segno col capo e ci augurarono buon appetito.

Dopo pranzo la nonna andò a riposare e la mamma disse, adesso pensiamo alla barca. Era pesante per noi e non fu facile portarla sul retro, ma alla fine, fermandoci e posandola diverse volte per terra, ci riuscimmo.

– Vedi? – disse la mamma. – Prima c'è da togliere le bitte e gli scalmi dei remi, qui e qui, e poi ci passo il liquido per sverniciare, finché la vernice viene via col raschietto e a quel punto posso carteggiare e ritinteggiamo. Che dici? Sarà la nostra barca.

– Non sai ancora se qualcuno la verrà a reclamare.

– Non verranno, vedrai. Faremo un ottimo lavoro. Intanto proviamo a sistemare le assi che si sono schiodate. Cerca dei chiodi, Agata, e prendi il martello, quello piú grande.

Inchiodammo le due tavole come se avessimo già costruito una dozzina di barche. Appena il fondo fu di nuovo a posto, la mamma andò a cercare un cacciavite e prendemmo a svitare la placca delle bitte. Ci impiegammo un po', perché alcune viti erano dure da girare e non riuscivamo a fare abbastanza forza.

– Facciamo come quando usiamo lo schiaccianoci per levare il tappo del lambrusco, prendiamo una pinza, – disse la mamma.

E cosí una faceva forza con la pinza stringendola intorno al cacciavite, mentre l'altra teneva il cacciavite fermo.

Quando fummo stanche prendemmo il liquido per sverniciare – sapevamo di averlo perché l'anno prima c'era servito per il tavolo del giardino, quello che aveva preso il largo quasi subito il giorno della piena. Ci sedemmo per terra e finché la nonna non si svegliò continuammo a passarla sullo scafo, coprendoci la bocca con dei fazzoletti per non respirare la vernice che si staccava via via e formava una polvere azzurra e spessa per terra.

Quando l'ombra cominciò ad allungarsi sulle cose e l'aria si fece di colpo piú fredda, la mamma disse:

– Bene, continueremo domani. Adesso andiamo a darci una ripulita prima che la nonna si svegli.

Ero in camera a finire di cambiarmi, quando la nonna bussò alla mia porta e disse, posso? Poi entrò, tenendo una sedia per la spalliera.

Al collo aveva il binocolo e sembrava di fretta.

Diciannove

– Giú adesso è troppo umido, ma dal tuo balcone dovrei ancora riuscire a vedere qualcosa almeno finché non viene buio.

Non capivo bene cosa le fosse preso. Davvero quel giorno non le sembrava importare piú niente della nostra casa e di tutto quello che c'era dentro. Non aveva neppure commentato il modo in cui avevamo steso le tende, neppure si era preoccupata di quelle in raso di cotone azzurro della sala da pranzo a cui teneva moltissimo e che noi avevamo attaccato ai rami del ciliegio perché occupavano troppo spazio.

– Voglio vedere cosa combinano, – disse. Sembrava fossero suoi gli operai, da come si comportava. Sistemò la sedia proprio accanto alla balaustra e vidi che controllava se l'inclinazione era giusta per avere una visuale sufficientemente buona. Poi tornò un momento dentro e tirò fuori dalla tasca la chiave della 14.

– Tieni. Magari un giorno ti serve.

Lo disse un po' brusca, i gesti gentili non erano mai stati il suo forte. Poi, come per spiegare, aggiunse: – Magari un giorno ci vai.

Sorrise e sorrisi anch'io mentre prendevo la chiave.

– Pensi davvero che apra ancora una stanza?

– Certo. Non è che le chiavi possono smettere di aprire le porte.

– Magari quell'hotel neanche c'è piú.

– Oh, sí che c'è.

Le era scappato.

Non l'aveva detto tanto per dire, sapeva che l'Hotel San Giors esisteva ancora. Si strinse nello scialle e in un batter d'occhio fu sul balcone a guardare di nuovo nel binocolo. Immaginai che fosse andata su internet a controllare, una delle poche, alla sua età, che ci si avventurava. Era strano vederla davanti a un computer ma da quando aveva imparato a fare le ricerche in rete capitava spesso di trovarla a navigare. Diceva proprio cosí, adesso non posso, sto navigando.

La raggiunsi.

– Che ne sai che c'è ancora?

– Be', lo so... cioè, credo che ci sia. Insomma, volevi la chiave. Eccola, fanne buon uso.

E a quel punto mi sentii domandarle: – Nonna, chi era il ragazzo che ti scriveva da Torino?

Si irrigidí, e senza neanche girarsi, mi disse di lasciarla in pace adesso, che aveva da fare, e che la dovevo smettere di starle sempre intorno, che le stavamo sempre intorno in quella casa e che non aveva mai un momento di pace, accidenti a noi.

E allora io rientrai, sicura che ormai non sarei mai piú riuscita a sapere niente.

Rimasi un momento a guardarla di spalle. Percepivo una specie di attesa in lei, nel modo in cui stava seduta, nella forma della sua schiena, come di tensione.

Ripensai all'articolo che avevo trovato nella sua scatola. Quello sui lavori di rifacimento al ponte Parabolico.

Forse non era affatto un caso. Tutto l'interesse della nonna per i lavori al nostro, di ponte. Insomma, non poteva essere una coincidenza.

Conservava l'articolo del ponte Parabolico e adesso sembrava ossessionata dal ponte della Colombiera. Ci doveva essere un legame. Il ponte della Colombiera e il ponte Parabolico, il fiume Magra e il Taro. La valle del Magra e la valle del Taro che correvano parallele per un tratto, quel disegno di corsi d'acqua e strade e geografie che adesso, attraverso il tempo, parevano toccarsi.

Tuttavia mi sbagliavo. La nonna non era tanto interessata alla ricostruzione del nostro ponte. Quello che davvero aspettava era piuttosto di vederlo saltare in aria.

Verso sera mi telefonò Giacomo.

Mi disse che in casa avevano finito di montare il letto e il mobile quattro stagioni e la nostra camera adesso era davvero bella. L'armadio quattro stagioni, proprio di fronte al letto, avevamo calcolato tutto, pensai, ottanta centimetri perché si aprissero bene le ante e avessimo lo spazio necessario per vestirci la mattina. Ottanta centimetri per prendere i vestiti, ogni mattina per il resto della nostra vita.

Pensai alla Casabianca, «è disabitata e ci fanno il nido i gabbiani, e lungo le pareti corrono le lucertole».

– Tu che fai? – domandai a Giacomo, dopo un momento.

– In che senso?

– In questi giorni. Che stai facendo?

– Il solito, vado in ospedale e la sera prima di cena passo a Marinella a vedere come vanno le ultime cose. Perché?

– Cosí, per sapere.

– E voi?

– Stiamo mettendo a posto. Puliamo e recuperiamo le cose che l'acqua ha trascinato a terra, – poi aggiunsi: – Mi sa che certi regali si sono rotti.

– Pazienza, alcuni erano anche bruttissimi, no?

– E non trovo piú la maschera.

– Che maschera?

– Quella che mi avevi comprato. Quella da sub, ti ricordi?

Dall'altra parte sentii che Giacomo sorrideva, poi disse che non importava, me ne avrebbe presa un'altra.

– Giacomo?

– Dimmi.

– Ho bisogno di vederti.

– Ma che c'è, sei triste? Vedrai che si metterà tutto a posto. Per le cose, le ricompreremo. Non è successo niente. È che dovevate tornare come gli altri. Per forza ti è venuta la tristezza con tutta quell'acqua.

– Mi piacerebbe che fosse ancora estate, – dissi.

– Estate?

– Sí, col mare. Mi piacerebbe starmene al sole. E nuotare, fare il bagno.

– L'estate prossima lo farai.

Come sembrava lontana l'estate prossima, sembrava ci fosse un abisso profondissimo che mi separava dal maggio successivo. Era fuori dalla mia portata, l'estate prossima.

– Sai, la mamma ha trovato una barca.

– Che barca?

– È arrivata con la fiumana. L'abbiamo ormeggiata con una cima e oggi pomeriggio siamo riuscite a sistemarla vicino alla rimessa.

– Per fare?

– Vogliamo rimetterla a posto. La mamma sa già come procedere. Dobbiamo sverniciarla, carteggiare e dopo darci di nuovo una mano, – gli dissi, ma mentre parlavo sentivo che Giacomo era distratto. Alla fine disse soltanto:

– Tua madre è strana, – e di nuovo si mise a ridere. – Dài, scherzo. Però sono felice che non le assomigli.

E senza che c'entrasse, mi venne in mente quando a Pietrasanta avevo attraversato la piazza in diagonale. E pensai una cosa stupida, che Giacomo non mi aveva mai visto attraversare una piazza in quel modo.

L'unica volta che avevo messo i tacchi con lui, mi aveva guardata, e aveva detto che proprio non mi ci vedeva, «e poi di sicuro non ci sai camminare, finirà che ti fai male». Aveva riso, come stavolta, e solo adesso mi ricordai che mi aveva dato un po' fastidio.

Perché invece sí, coi tacchi io ci sapevo camminare, e sapevo attraversare una piazza in diagonale, come in equilibrio a metri d'altezza.

In camera trovai la nonna.

– Eri al telefono con Giacomo?

Feci segno di sí.

Lei si alzò dalla sedia e venne verso di me. Quando fu abbastanza vicina mi diede una carezza sulla testa. Era un milione di anni che non faceva una cosa del genere.

Poi andò alla finestra e guardò di nuovo dalla parte del ponte.

– Tieni qui Madama Butterfly, che sennò mi viene dietro, – disse. – Io vado giú, si vede meglio da giú e intanto che aspettiamo di cenare c'è ancora un po' di tempo. Vado a vedere a che punto sono.

– Ma perché ti interessa tanto?

– Cosí, – sorrise. – Non ho mai visto buttare giú un ponte.

Era già sulla porta quando si voltò di nuovo.

– Chi ti ha detto di Paolo?

– Di Paolo?

– Il ragazzo che mi scriveva da Torino. Si chiamava Paolo.

Non sapevo cosa rispondere, non volevo confessarle che avevo trovato la scatola in soffitta, non volevo che me la portasse via. Lei abbassò un momento gli occhi, quasi li chiuse.

– È stata tua madre, vero?

Feci di no con la testa, e lei scrollò le spalle e disse che non importava, e io, non so perché, non riuscii a fermarla, né a chiederle niente. Restai semplicemente lí, a domandarmi cosa stesse accadendo.

No che non era stata mia madre. Mia madre aveva sempre fatto finta di niente. Quando le avevo mostrato la cartolina con la finestra cerchiata aveva continuato a dirmi che la nonna era piena di cugini.

E poi neppure mi aveva chiesto se avessi trovato qualcosa in soffitta, si era limitata a dirmi che c'era della roba nel baule rosso, ma poi non mi aveva fatto domande e io non gliene avevo piú parlato perché non sapevo se le avrebbe potuto far piacere che sua madre, ai tempi della guerra, girasse con una pistola e ballasse con un tipo bruno che non era il nonno.

E adesso la nonna credeva fosse stata proprio lei a parlarmi di questo Paolo.

Non tornava niente e io non capivo.

E non capii neanche subito dopo, quando dalla scatola saltò fuori la lettera.

Venti

Ero sicura di non averla vista fino ad allora e se soltanto ci avessi ragionato, era chiaro che non potesse es-
sermi sfuggita. Impossibile che in tutto il mio frugare e
cercare ed esaminare, io non mi fossi accorta della lettera: era la cosa che piú di tutte, in quelle ore, avevo desiderato trovare.

E tuttavia neanche allora sospettai cosa fosse accaduto.
Neanche per un istante mi venne in mente che se quella
lettera non l'avevo ancora trovata, nella scatola, era perché fino a quel momento semplicemente non c'era stata.
Insieme alla cartolina di Torino, quella era l'unica lettera
di Paolo, e la nonna mi disse poi che era strano fosse finita
nella scatola, perché lei la teneva sempre nel suo cassetto,
era sicura, sicurissima.

E adesso anch'io ne sono sicura.

Sono sicura che fu la mamma a spostare la lettera in
modo che arrivasse nelle mie mani, fu lei – probabilmente
la mattina in cui io e la nonna stavamo giú al pontile – a
prendere dal cassetto la lettera e a metterla in fondo alla
scatola da scarpe. Sopra, questa volta, non c'era timbro
né indirizzo. Una busta bianca e dentro un foglio ripiega-
to tre volte.

Torino, 7 luglio 1947

Cara Fulvia,

spero tu stia bene. Ti scriverò solo questa lettera. Ho chiesto
a Mario di fartela avere. La prima volta che ti incontra al merca-

to, te la metterà nella borsa della spesa e nessuno si accorgerà di niente. Lo sai, siamo bravi in queste cose. E cosí, se tutto va come spero, tra meno di quindici giorni leggerai queste righe.

Non mi cercare mai piú, hai detto. E lo farò, anche se è difficile non sapere niente della persona che piú di tutte ho amato e continuo ad amare. Ogni giorno mi sveglio col pensiero di te e ho paura che succederà per sempre.

Io sto a Torino adesso. La città è bella, piena di Caffè, piena di tazze con la panna, come quella che mangiammo insieme io e te a Mirandola. Ricordi? In quel pomeriggio che sembrava già scampato alla guerra.

L'hai tenuta la foto che ti avevo scattato? Spero di sí. Io di te ho quella al casolare. Appena sono arrivato qui a Torino, le ho fatte sviluppare e quando le immagini sono comparse sulla carta mi sono sentito morire a rivederti. Mi è venuto in mente tutto quello che abbiamo fatto insieme, quello che ci siamo detti. E anche quella notte che c'erano i Tedeschi e noi ci si nascondeva a Fossa e hai ballato con me e Mario ci aveva preso di nascosto. Anche quella ho, e forse è la mia foto preferita.

Ho saputo che tuo marito è riuscito a scappare dai campi, me l'hanno detto i compagni, e ne sono davvero felice, credimi, ti giuro. So che lo amerai fino all'ultimo giorno e so che avrete una bella vita insieme alla vostra bambina. Ed è giusto cosí, io non c'entro.

Ma voglio comunque che tu sappia che mi ricordo tutto di noi, ogni particolare. Le cose vissute insieme mi tornano in mente di continuo e non hanno niente a che fare con gli altri ricordi, sono scene staccate da tutto, sembrano successe da neanche un minuto e invece sono già passati due anni.

L'altra notte ti ho sognata. Era una sera d'estate e camminavamo insieme e io ti tenevo per mano e avevo la sensazione della tua pelle calda cosí vicina, la tua pelle come se avesse preso tutto il sole di quella giornata. E poi a un tratto mi sono fermato e ti ho baciata, e a quel punto mi sono svegliato. La sensazione della tua pelle però mi è rimasta addosso, come se davvero ti avessi toccata, e per qualche momento mi è sembrato di sentirti, come se fossi qui con me.

Sai, darei qualunque cosa per averti anche soltanto un giorno qui con me. E se tu fossi qui con me ti racconterei ogni cosa che ho vissuto da quando ci siamo lasciati, ogni cosa che tu non puoi piú sapere e che però cosí tanto ha avuto a che fare con te. Ti direi dell'Annunziata, del fiume e degli stretti di Giaredo, di quando ci nascondevamo nell'acqua ghiacciata e dei boschi e dei tedeschi coi cani che ci cercavano. E ti direi di quando è saltato in aria. Le cariche le abbiamo messe ai piloni, e quando è scoppiata la prima, le arcate sono saltate e il ponte è venuto giú come fosse di carta e sembrava giorno da tanta luce che c'era e noi siamo córsi giú per la scarpata mentre tutto si incendiava. Avrei voluto tantissimo che lo vedessi, il ponte, quando è saltato in aria. In fondo quel ponte non saltava se non c'eri tu, lo dovevi vedere.

Adesso dormo in una pensione e ho una stanza abbastanza grande, con un letto e il lavandino e un tavolo, da dove ti sto scrivendo. Ti racconterei delle strade di Torino che sono tutte dritte, del Valentino dove ci sono degli uccelli che si tuffano e pescano sott'acqua, del mio lavoro alla Sezione del Partito. Cosí poi sapresti ogni cosa. È questo che mi fa piú impazzire, che non possiamo piú sapere niente l'uno dell'altra, che io continuo la mia vita e tu non puoi neppure immaginarmi, non sai dove sono e come sono vestito e cosa mangio e neppure hai mai visto la camera in cui dormo. E io lo stesso.

Conosco a memoria i tuoi gesti, ma non so piú dove li fai, qualche volta ti provo a mettere nelle strade di Modena, provo a immaginarti in una casa, in una cucina. Ma è difficile. È cosí difficile senza di te.

Sai cosa piú di tutto mi ricordo? I tuoi capelli bagnati, rossi come il ferro, che sembravano pieni di ruggine. La mia ragazza di ferro e ruggine.

Te lo dico, anche se lo so che non cambia le cose. Ora che è finita la guerra, ora che sappiamo che non potremo mai stare insieme. Vorrei rivederti, davvero, una volta soltanto, non ti chiedo di piú. Pensaci e non dire di no subito, come facevi sempre tu, che per prima cosa dicevi di no. Ti ricordi? Quella volta che abbiamo fatto il bagno insieme al ruscello e tu prima non volevi e poi ti ho convinto e avevi i capelli bagnati e io ti dicevo, la mia ragazza di ferro e ruggine che dice sempre di no.

Ti amo e ti amerò per sempre anche se non vuoi e ti aspetto, anche se alla fine non verrai.

Paolo

Mi veniva da piangere, e mi sembrava di sentire la voce di Pietro, era come se fosse riuscito a scrivermi, alla fine, anche se io gli avevo detto di non farlo.

Rilessi la lettera almeno tre o quattro volte, a pezzi e dalla prima riga all'ultima. C'era tutto, c'ero io, e c'era tutto quello che avevo cercato di mettere insieme in quei giorni, Torino, le strade dritte, la stanza nella pensione, mio nonno sopravvissuto ai campi. C'erano le foto e c'era il ponte che saltava e soprattutto c'era mia nonna, in ogni frase di quella lettera c'era.

Era proprio mia nonna. Come forse io non ero mai riuscita a vederla, eppure era proprio lei. La ragazza di ferro e ruggine che dice sempre di no.

Mi affacciai. Stava ancora al moletto, seduta sulla panca. Era venuto buio e riuscivo a scorgere soltanto la sua figura, appena piú densa dell'aria intorno, distinguibile per un tono piú marcato di oscurità.

Puntava il binocolo da teatro e sembrava che non ci fosse in quel momento niente di piú importante, per lei, del ponte sul fiume.

Avrei voluto tantissimo che lo vedessi il ponte quando è saltato in aria, le aveva scritto Paolo.

Ma mia nonna non l'aveva visto. Per qualche ragione non era lí con lui quella notte, forse era con mia madre invece, a Fossa. Non si poteva muovere, lasciare il paese, non poteva andare all'Annunziata, mettere le cariche e vedere il ponte saltare e allora quel ponte – pensai –, aveva continuato a immaginarselo, a immaginarsi il momento dell'esplosione, quando avevano fatto brillare la prima carica, e poi la seconda, e i piloni erano saltati e il ponte era venuto giú come fosse di carta.

Lo faranno saltare con qualcosa, per demolirlo? Ci aveva domandato la sera prima. E poi s'era messa a parlare della dinamite. Come si fa in cava, aveva detto, ma forse avrebbe voluto dire, come si fa in guerra.

Perché ora era chiaro che in quei giorni alla nonna il tempo si stava confondendo, si sovrapponeva e si scambiava, e il ponte della Colombiera adesso era il ponte Parabolico e lei era lí, con il suo binocolo e il vestito piú bello per vederlo saltare in aria, a distanza di anni.

In fondo quel ponte non saltava se non c'eri tu. Le aveva scritto Paolo, qualsiasi cosa volesse dire.

Ventuno

A cena mangiammo un po' di formaggio con del miele che la mamma aveva trovato giú in cucina.

Da fuori arrivavano i rumori dei mezzi al lavoro, il *bip* costante delle gru che segnalava le manovre, i colpi degli escavatori, delle pinze che picchiavano contro le strutture per farle cedere, il motore dei rimorchiatori che trascinavano le chiatte. E tutto sembrava un po' strano, adesso, perché il nostro ballatoio era di nuovo illuminato dal lampadario a gocce, però c'erano sempre tutti i libri in mezzo, la mia scrivania come tavolo, il forno a microonde dove avevamo sistemato le scatole di pelati e ceci, la borsa frigo dentro la quale conservavamo ancora la maggior parte dei cibi freschi.

E poi se ci affacciavamo, sotto il mio balcone si vedevano il divano, le poltrone lasciate a sgocciolare, il tavolo della cucina e la credenza, che avevamo portato vicino al melograno in modo che lo reggesse.

– Diamogli una mano, – aveva detto la mamma. – Almeno dal lato in cui è caduto ora si può appoggiare, e cosí ha il tempo di rafforzare le radici.

E adesso dunque, nella penombra del giardino, il melograno si stava rafforzando le radici appoggiato alla credenza, e a vederli cosí veniva da credere che anche la credenza ne avrebbe alla fine messa qualcuna, di radice in terra.

La nonna tagliò degli altri pezzi di formaggio. La mamma prese uno spicchio, lo passò nel miele e lo addentò.

– Gli uomini della protezione ci aiuteranno a sgomberare il grosso, tipo il frigo o la lavastoviglie, per il resto mi sa che ce la dovremo cavare da sole.

– Useremo dei sacchi, – disse la nonna, come se quello risolvesse tutto.

– Piú che altro è la roba che c'è in giro che mi dà un po' d'angoscia.

– Possiamo buttarne via, Cella. Una specie di pulizia generale. Come in primavera.

– Sí, buttiamone un po'. E quella in buone condizioni la regaliamo.

– I libri non li vuole nessuno.

– I libri io non li butto e neanche li regalo, che c'ho scritto tutte le mie cose.

La mamma, quando leggeva un romanzo, prendeva sempre degli appunti lungo i bordi, scriveva dei commenti sui personaggi o su come si comportavano. E cosí, quando qualcuno prendeva in mano un libro che aveva letto – io e la nonna per prime –, lei stava sempre un po' sulle spine perché, diceva, ci facevamo gli affari suoi.

– Possiamo dare via qualche vaso, però. Ho scoperto che siamo piene di vasi. Chissà perché abbiamo comprato tutti quei vasi.

– Sí, credo che alla fine non ci servano molti vasi, – disse la nonna. La decisione era presa, come quando avevano smesso di stirare la biancheria e le lenzuola. Ci serve stirarle? No, se le appendiamo bene non serve. E avevano smesso di stirarle, per avere piú tempo. Le prendevano abbastanza in fretta quel tipo di decisioni, anche se avevano stirato per decenni la biancheria e le lenzuola e anche se a quei vasi fino a un attimo prima sembravano tenerci tremendamente.

Continuammo a mangiare per un po' senza dire piú niente, finché la nonna domandò: – Ma i vestiti li dobbiamo restituire per forza?

– Che vestiti?

– Quelli da sera.

– Certo, che ti viene in mente?

– Mica lo sanno che ce li abbiamo noi.

– Ma non ci pensare proprio, io non mi metto a rubare i vestiti ai vicini.

– Alla fine non sappiamo neppure di chi siano. E quindi non ci sarebbe niente di male a tenerli.

– Ma poi cosa te ne fai?

– Be', qualche volta, se andiamo a Torre del Lago… – E dopo un attimo la nonna aggiunse: – E comunque tu la barca te la sei tenuta, perché io non mi posso tenere i vestiti?

Il ragionamento non faceva una piega e la mamma si mise a masticare in silenzio. Ma dopo qualche minuto tornò alla carica.

– Tu hai il cinghiale.

– Cosa c'entra il cinghiale? Mica è di qualcuno. È venuta da sola qui, Madama Butterfly.

– Anche la barca è venuta da sola, allora.

– E anche i vestiti, – disse la nonna facendo il verso alla mamma.

E io pensai, oddio, no, non uno dei loro battibecchi, per favore non adesso. Ma dopo un po', come se avesse preso in considerazione i pro e i contro di barche, abiti e cinghiali, la mamma disse:

– Oh, accidenti, e allora tienteli! Ma se ti fai beccare…

– Io non mi faccio mai beccare, – disse la nonna, come se davvero nella vita avesse rischiato mille volte e l'avesse sempre fatta franca.

E la mamma si mise a ridere perché lei poi si stufava di essere arrabbiata troppo a lungo. – Toccherà andare a Torre del Lago ogni sera la prossima estate, con tutti quei vestiti, – disse.

La nonna sembrò illuminarsi e io tirai un sospiro di sollievo.

Piú tardi restammo sole, io e lei, a riordinare. Mi avvicinai mentre piegava la tovaglia. Indossava ancora il suo abito rosso, che la faceva come brillare nella stanza quando si spostava.

– Be', che c'è? – mi domandò. – Perché mi fissi?

– Non è stata la mamma a dirmi di Paolo.

La nonna si fermò un attimo, poi si precipitò a mettere a posto qualcosa.

– Ho trovato la scatola.

Continuava ad andare avanti e indietro e non mi guardava.

– Per favore ti fermi un momento? Sono io che ho trovato le tue cose.

Spense la luce grande del ballatoio, come se con quell'interruttore potesse spegnere anche le mie parole, o tutto quello che stava intorno a noi. Fummo avvolte nel debole chiarore che il lampione della strada gettava in casa. La nonna si lasciò andare sulla sedia e rimase immobile e con lei di colpo si fermò ogni cosa nella stanza, persino i pulviscoli che si agitavano nell'aria. La scena sembrava in bianco e nero, perché quella luce annullava i colori delle cose e per un attimo fu come vederci da fuori, la nonna seduta sulla sedia e io poco distante da lei, in piedi, che non sapevo ancora che fare e nella stanza accanto mia madre, e intorno a noi la casa e intorno alla casa il fiume e la terra scura. E dal centro di tutte quelle cose, la nonna disse:

– E va bene.

La sentii sospirare piú forte, una specie di strappo nel fiato. Si mosse appena sulla sedia e il suo gesto sembrò trasmettersi alla stanza, quasi stessimo cadendo, proprio come si cade nei sogni, di colpo, con tutto il corpo. Io presi una sedia e mi misi accanto a lei.

– Allora, cosa vuoi sapere?

D'un tratto mi sembrò impossibile farle delle domande, capii improvvisamente di non averne alcun diritto. E allora lei si alzò e mi lasciò lí. La vidi attraversare la stanza e già pensavo che se ne stesse andando, ma poi si fermò e afferrò dalla mensola il suo quadro dei papaveri. Tornò a sedersi, me lo mise davanti, e mi domandò:

– Vedi? Nessuno ci fa caso, ma c'è un'altra donna nel quadro –. Poi si voltò a guardarsi intorno, vide la torcia con cui eravamo andati al ponte, l'afferrò, l'accese e la puntò sulla stampa. – Tutti credono che ci sia solo la signora con l'ombrello azzurro. E invece ce n'è un'altra, è qui, tra gli alberi, solo che rimane in ombra e non si vede.

La nonna aveva ragione, sullo sfondo del campo di papaveri, parecchio dietro alla donna con la bambina che avevo sempre visto, c'erano altre due figure femminili di cui non mi ero mai accorta, di nuovo una donna e la sua bambina, messe nello stesso modo e pettinate uguali, soltanto che erano vestite di scuro e finivano per scomparire nel verde pieno delle chiome. Adesso erano completamente comprese nel cerchio di luce della pila. La nonna sorrise.

Io non sapevo bene dove volesse andare a parare, francamente di Monet in quel momento non me ne importava nulla, mi sembrava solo che stessi perdendo la mia occasione e così me ne stavo lí nella penombra, con uno strano senso di frustrazione e d'impotenza. Però non volevo neanche interromperla, perché ora almeno mi stava parlando, seppure di quella sua stampa che lei continuava a trattare come un dipinto del Louvre. La reggeva con tutte e due le mani, appoggiandosela sul ginocchio, e si capiva che la considerava preziosissima. Poi si piegò in avanti e come se mi stesse confidando un segreto, aggiunse:

– Secondo me è la stessa donna. Vedi che è uguale, ha lo stesso cappello, le stesse fattezze. Solo che è in un altro punto. È questo che bisognerebbe capire.

In realtà io non avevo capito quasi niente, ma lei dava l'impressione di avermi trasmesso una grande verità, per cui non ebbi cuore di dirglielo e annuii, sperando di riuscire una buona volta a chiederle quello che davvero volevo sapere, anche se in quel momento quasi non riuscivo piú bene a capire neanch'io cosa fosse. Lei a quel punto si sollevò tenendosi la schiena e sorrise.

– Coraggio su, andiamo in camera tua che ci diamo un'occhiata insieme a questa benedetta scatola.

– Avevi davvero una pistola?

Ecco, cosa le chiesi. In tutti quei giorni non avevo fatto altro che pensare ai suoi segreti, al fatto che ci fosse un uomo che le spediva cartoline e lettere, innamorato di lei, e che forse anche lei aveva amato. Avevano ballato insieme e di sicuro si erano baciati, mentre mia nonna era già sposata, e io volevo sapere, non desideravo altro, e adesso che ce ne stavamo sedute sul mio letto e avevamo rovesciato tutto il contenuto della sua scatola sulla trapunta, io le chiesi invece della pistola. Lei sorrise, prese in mano la foto del casolare e disse:

– Ero diventata proprio brava a sparare. Miravo e buttavo giú i barattoli di fagioli. A volte me lo dico anche adesso, che se volessi sarei brava a sparare. Prendevo un albero a diversi metri di distanza se volevo.

Per un attimo pensai che avesse abbattuto lei il nostro melograno e non il vento. Un colpo secco al centro del tronco e quello era crollato.

– Ho imparato quando siamo sfollati a Fossa. Dopo l'8 settembre, avevano preso il nonno. Eravamo a Pola, io ero andata a trovarlo insieme a tua madre, che non aveva neanche tre anni. E i tedeschi e le camicie nere dopo il discorso di Badoglio li avevano fatti sbarcare e li avevano portati in prigione. Ero andata al Comando per provare a tirarlo fuori, a spiegargli che eravamo sole e avevo una bimba piccola, ma mi dissero che avrebbero preso anche me se non me ne andavo, e cominciarono a spararmi contro. Lo sai, no? Quando mi hanno sparato alle gambe.

Non dissi niente, neppure che non avevo mai visto la cicatrice.

La nonna continuò:

– Non sapevo che fare, dopo che presero tuo nonno. Passai due giorni nascosta nel bosco Siana. Ero terrorizzata. Avevo paura che mi trovassero e mi portassero via e allora cominciai a camminare con tua madre per mano e in braccio quando si stancava, e andammo avanti cosí fino al bosco e ci sedemmo per terra contro un albero e rimanemmo lí tutta la notte e anche il giorno dopo fino a sera, come se non ci fosse nient'altro che potessimo fare, a quel punto. Capivo solo che dovevo salvarmi insieme a tua madre.

La nonna si sfregò le mani. Io pensai a come doveva essere buio un bosco di notte e immaginai lei al centro, con la schiena contro un albero e mia madre in braccio, poi sentii che diceva: – Sai, quando è nata tuo nonno non c'era, era imbarcato e cosí mi è sempre rimasta questa sensazione che dovessi essere io a occuparmene, che l'esistenza di Graziella riguardasse me e nessun altro. E poi mi assomigliava cosí tanto. Rossa come me. Tutte rosse le femmine della nostra famiglia. Tutte che le vedevi a grande distanza per via dei capelli. Tu no, eh Agata? Peccato –. Si avvicinò, mi prese una ciocca, sentii le sue mani che attraversavano i miei capelli e, non so perché, avvertii una corrente, come quando diventano elettrici. Poi disse: – Però mi sa che ti stanno venendo dei riflessi. L'ho visto l'altro giorno con la luce delle lampade d'emergenza. Si stanno facendo piú scuri, i tuoi capelli, e ora hai dei punti rossi. Che strano, sarà l'umidità –. Scrollò le spalle, sorrise, restò un momento in silenzio. Io pensai che per mia nonna tutto quello che succedeva, di bello e di brutto, aveva sempre a che fare con l'umidità, persino il colore dei capelli, e mi venne voglia di alzarmi e di andare a vedere se fosse vero che mi stavano venendo delle ciocche rosse, ma lei riprese a parlare:

– Dopo abbiamo preso un treno. Me le ricordo a pezzi le cose, non so neanche com'ero andata alla stazione dopo il bosco. Un attimo sono nel bosco e poi sono sul treno. Comunque arrivai a Modena e poi da lí a Fossa. Di tuo nonno non riuscivo a sapere niente. Ero cosí arrabbiata. Ero piú arrabbiata che triste, ce l'avevo con tutti, anche con chi non c'entrava.

L'avevo pensato, quando infilava le sue lamentele una dietro l'altra e diceva a me e a mia madre tutto quello che sbagliavamo e quando se la prendeva col prezzemolo che bruciava. Era come se avesse una scorta di collera che l'afferrava a tratti, come un inasprimento, e a volte la tirava fuori tutta insieme, gettandola sulle cose a caso. Forse arrivava dal bosco Siana di Pola, forse dallo scompartimento di quel treno o dai campi di Fossa.

– Con la Vittoria e la Teresa ce n'eravamo andate in campagna, era piú sicuro, stavamo in una casa di contadini. C'erano le galline, i campi. Si riusciva a mangiare lí, quei posti non li bombardavano –. La nonna si sistemò meglio sulla sedia, si tirò giú un lembo della gonna che era salito, lisciò la stoffa, sorrise e aggiunse: – E poi, però, ero stata io a conoscerli.

– Chi?

– I comunisti. Erano cosí giovani. Dei ragazzi. Alla fine anch'io ero una ragazza, anche se c'avevo già la Graziella, non avevo neanche ventitre anni. Comunque, non so com'era andata, ma avevo cominciato a parlarci e loro mi avevano detto cosa stava succedendo, che si organizzavano, che c'erano dei gruppi. Io non ne sapevo niente e le mie sorelle non ne volevano neanche sentire parlare. Dicevano che era pericoloso. Ma loro mi avevano spiegato che a volte bisognava che qualcuno portasse dei messaggi, e che di solito era meglio se lo facevano le donne, perché era piú difficile che le fermassero. Sai, no, come funzionava? Sembrava che nella cesta della bicicletta avevi soltanto da mangiare o la verdura, e invece portavi i volantini, le lettere, anche le armi certe volte. E cosí mi hanno dato la pistola e mi hanno insegnato a sparare. Paolo mi ha insegnato. Su al casolare –. La nonna si bloccò un momento, poi sorrise e disse che correva velocissimo e io pensai che era una cosa strana da ricordare di qualcuno. O forse invece no.

– Correva velocissimo, – disse. – Mi piaceva quando correva, non avevo mai visto nessuno andare cosí veloce, e allora a volte gli dicevo, corri per me, e lui partiva e sembrava che fosse nato solo per quello, per correre via. A volte mi sembra che non siano neanche successe davvero quelle cose.

«Un giorno ho attraversato un paese con una mitraglia smontata in un cesto di mele, i tedeschi mi hanno fermata e io gli ho regalato una mela a testa e quelli mi hanno fatto passare. C'avevo sempre un vestito rosso, come questo qui, mi piaceva il rosso, era il mio colore preferito. Mi avevano soprannominata Maria La Rossa. Maria me l'ero scelto io, per via di mia madre che si chiamava in quel modo e mi piaceva pensare che il suo, adesso, fosse un nome di battaglia, e invece La Rossa me l'avevano attaccato gli altri e non si sapeva se per il vestito o per i capelli. Ce l'avevo sempre addosso quel vestito, lo lavavo la sera e lo rimettevo al mattino. Una volta l'avevo ritrovato congelato. Ci pensi un vestito congelato?

Guardai di nuovo la foto in cui puntava la pistola. Il suo abito estivo, smanicato, con gli orli slabbrati. Rosso, adesso lo sapevo.

– E poi?

– E poi niente, la guerra è strana, le cose succedevano tutte insieme. Sembrava che non potessero smettere di succedere. E cosí è successo di Paolo e poi subito dopo è successo dell'oro.

– Che oro?

La nonna sorrise: – Come che oro? L'oro della zia Vittoria.

Madama Butterfly si svegliò. Era rimasta al suo posto per tutto il tempo della cena, ma adesso doveva avere di nuovo fame, perché arrivò in camera trotterellando e cominciò a strusciarsi alle gambe della nonna.

177

– Su, Agata, prendi un po' di latte. Lo scaldiamo appena appena sulla stufa.

Feci quello che mi aveva detto e poi versai il latte nel biberon e tornai in camera.

– Daglielo tu, – disse la nonna e allora io mi sedetti sul letto a gambe incrociate e mi misi addosso Madama Butterfly e cominciai a darle il latte.

– Vedrai, Agata, verrà un bellissimo cinghiale, forte e coraggioso.

– E nessuno gli sparerà, – dissi.

– Nessuno, – ripeté la nonna. Rimase un momento come soprappensiero e io le dissi, l'oro, cosa è successo con l'oro?

– Sí, giusto, l'oro. Lo sai, la zia Vittoria l'aveva nascosto. Per via dei tedeschi e dei fascisti. Se ti trovavano dei soldi in casa te li portavano via e cosí lei che aveva dell'oro, appena era scoppiata la guerra l'aveva seppellito tutto in un terreno a Mirandola. Era un terreno di diversi ettari, coi filari di vite. L'aveva comprato prima della guerra, ci allevava gli animali e ci faceva il vino. C'era solo un capanno degli attrezzi e un fiumiciattolo che lo divideva dalla strada. E lei aveva pensato che era un posto abbastanza sicuro per seppellirci una cassa piena d'oro.

– Ma davvero con la pala, l'aveva fatto da sola?

– Certo, noi facevamo sempre tutto da sole, – rise. – Comunque io sapevo il posto, tutte noi sorelle lo sapevamo, perché la Vittoria aveva pensato che se le succedeva qualcosa almeno noi potevamo recuperarlo. Ci aveva spiegato il punto preciso, sotto un filare di vite, il terzo a partire dal capanno degli attrezzi, due metri a destra e a un metro buono sotto terra avremmo trovato una cassetta di legno e lí dentro c'erano le monete e qualche gioiello. E cosí, una notte che stavamo a Fossa, io aspettai che tutti dormissero e spiegai a tua madre che divideva il letto con me che andavo in un posto e che sarei tornata presto. Lei doveva far finta di dormire e non dire niente, per nessuna ragione al mondo. Feci anche una specie di spessore nel letto

178

coi vestiti, cosí se anche fossero entrate in camera, le mie sorelle non si sarebbero accorte di niente. E poi uscii dalla finestra. Quelli del partito mi aspettavano a un centinaio di metri. Raggiungemmo Mirandola a piedi, ci impiegammo piú di un'ora ad andare e una a tornare. Con le biciclette sarebbe stato troppo pericoloso. Era inverno, me lo ricordo, e c'era un freddo che ti spezzava le ossa. La nebbia avvolgeva ogni cosa, e noi eravamo contenti, perché la nebbia ci faceva gioco, ci nascondeva –. La nonna fece un respiro profondo e si strinse le mani addosso, sfregandosele sulle braccia.

Non faceva freddo in camera, non piú di un momento prima, ma quello che la stava avvolgendo doveva essere il gelo di quella notte, quando aveva tagliato i campi con la nebbia intorno che non si vedeva niente.

– Vado a prenderti qualcosa da mettere?

– Basta la coperta. Me la butto addosso.

Madama Butterfly aveva finito il latte e si era riaddormentata mentre le grattavo la pancia. La nonna si avvolse nel plaid e si soffiò nelle mani, proprio come avrebbe fatto, di notte in aperta campagna. Poi riprese a parlare:

– Entrammo nel terreno. Cercammo il posto e ci mettemmo a scavare. La cassetta c'era davvero. Pesava un accidente e perciò l'aprimmo lí. Gli uomini si misero l'oro negli zaini e io, che non avevo niente, neanche le tasche, m'infilai gli anelli e le collane e i bracciali addosso.

Per un momento provai a immaginare mia nonna tutta ingioiellata che attraversava la Padana di notte e mi domandai se persino in quel momento, mentre fregava i soldi a sua sorella e correva in mezzo ai campi e alla nebbia, fosse vestita di rosso.

– Portammo via tutto e quando la zia qualche giorno dopo se ne accorse si mise a urlare ch'erano stati i tedeschi e i fascisti e poi dopo disse che erano stati i comunisti e diede la colpa persino al prete. Ma di me non sospettò mai.

Io non mi faccio mai beccare, aveva detto quella sera.

– Ma perché? – le domandai.

– Per la dinamite. Ci servivano i soldi per comprare le armi e la dinamite. Per fare saltare il ponte. Cosí i tedeschi non ci passavano piú coi loro treni. L'abbiamo fatto saltare di notte. Io non l'ho visto, ma me lo sono immaginato. Tante volte. Alla fine è come se ci fossi stata. Le cariche che esplodono, i piloni che cedono, la volta centrale del Parabolico che viene giú come fosse finto.

La nonna sembrava davvero felice di aver fatto crollare quel ponte.

– È per quello che vuoi vederlo saltare, vero, il nostro ponte?

Fece di sí con la testa e poi sorrise.

C'era ancora una cosa, l'ultima.

– E la chiave? La stanza 14?

Quasi sembrò non avere neppure sentito la mia domanda. Si alzò dal letto, e si passò le mani sui fianchi, si stirò. Per un attimo si avvicinò al mio abito da sposa. Lo annusò. Annusava sempre tutto, la nonna.

– Sa un po' di mare, – disse. E io pensai, qui sa tutto di mare. Il nostro fiume aveva rapporti troppo stretti col mare per non risentirne.

– Be', mi sa che abbiamo fatto tardi, eh? Sarebbe meglio andare a dormire –. Ecco, a questo punto non l'avrei mai saputo, di quella chiave non voleva dirmi niente. Stava per uscire, quando si voltò, mi guardò un momento, e disse:

– E va bene, dài. Vieni, ti faccio vedere una cosa.

Ventidue

Passarono due settimane e noi continuammo a spalare il fango, buttammo le cose rovinate e rimettemmo a posto quelle ancora buone, aggiustammo il patio esterno, i muri si asciugarono e si asciugò anche il pavimento, che smise di buttare fuori l'acqua. Ritinteggiammo le pareti del piano terra e riempimmo di nuovo gli scaffali coi nostri libri. Ci sbarazzammo, com'era stato deciso, di tutti i vasi.

Per un po' lungo le strade di Bocca di Magra si continuò a vedere qualche frigorifero, l'intelaiatura di un letto, i comodini, i cassetti coi vestiti dentro, i televisori e le lavatrici, come se le case fossero state rovesciate e tutto quello che stava prima dentro, ora arredasse i campi e il lungofiume. Poi, piano piano, sparirono anche quelle e il paese riacquistò l'aspetto che aveva avuto prima della tempesta.

E anche la nostra casa alla fine rientrò nel perimetro dei suoi muri, seppure mia madre si era un po' affezionata a quella sistemazione piú estesa e finché il divano era rimasto fuori ad asciugare, a fine giornata, ci si sedeva con una coperta addosso. Dopo tutta la burrasca, si erano infilate una dietro l'altra delle bellissime giornate, in cui l'aria era ancora calda e sapeva di fumo, perché alla spiaggia radunavano la legna che aveva trasportato la piena e la bruciavano. Era una cosa che di solito capitava prima dell'estate, quando dovevano pulire per la stagione, e cosí sembrava che dovesse quasi iniziare l'estate. La mamma aveva collegato la lampada del salotto con una prolunga e l'aveva sistemata vicino al divano, quando cominciava a fare piú scuro l'accendeva dicendo, stasera è cosí limpido che è proprio un peccato rientrare, e si metteva a leggere.

Il vecchio ponte era stato completamente distrutto – non avevano usato la dinamite, ma gli escavatori con le pinze per frantumare il cemento, e una parte di quello nuovo, i piloni e un terzo della campata, fu conclusa. Ancora le auto non potevano circolare e l'altra strada per Bocca di Magra non era agibile, però l'impresa continuava a lavorare e forse per la fine del mese successivo avrebbero inaugurato la nuova struttura temporanea.

Quella mattina la nonna stava rifacendo il letto e la mamma era in bagno a prepararsi. Io tirai fuori lo zaino grande, da montagna, e cominciai a metterci dentro le cose.

Presi i vestiti, certi libri che mi potevano servire, la mia agenda, un astuccio. Poi aprii il cassetto dove c'erano le chiavi di Marinella e le misi nella borsa. Insieme c'era anche la chiave della stanza 14. La presi in mano. Il batacchio di plastica rossa era freddo come ogni volta. La guardai, sorrisi. Alla fine buttai anche quella nella borsa.

La notte in cui eravamo rimaste sveglie a parlare, la nonna alla fine mi aveva detto, vieni, ti faccio vedere una cosa e poi s'era seduta di fronte al computer e si era collegata a internet. Era tornata la linea, e la nonna lo sapeva, io neppure ci avevo pensato, ma era logico, se funzionava il telefono, funzionava anche la rete.

– Sai che facciamo adesso, Agata? – aveva detto. – Adesso cerchiamo l'Hotel San Giors.

La prima immagine sullo schermo era stata quella di una strada, una strada un po' in discesa, in sampietrini grigio scuri e tondi. Chi aveva fotografato la via, lo aveva fatto quasi sempre di sbieco, come se in quell'angolo di Torino ci fossero problemi di equilibrio. Il posto non lo riconobbi subito, né la strada stretta, né la serie di case basse o il palo della luce.

Soltanto quando la nonna trovò la foto dell'albergo, con la facciata in primo piano, mi resi conto che la finestra era la stessa. La finestra cerchiata col pennarello rosso si trovava all'Hotel San Giors. Probabilmente Paolo aveva dormito lí i primi tempi quand'era arrivato a Torino, e da quella stanza le aveva scritto la lettera, e in quel cerchio rosso e preciso probabilmente aveva sognato mia nonna e forse l'aveva aspettata.

La nonna cominciò a far scorrere le immagini dell'interno.

Legno chiaro, lunghi listelli per terra, vetri da cui entrava una luce calda che si specchiava sui pavimenti e intercettava tavolini con gambe piú sottili e tovaglie piú bianche per via del sole. La reception era un bancone massiccio, in legno e in una delle fotografie del sito ci stava appoggiato un uomo con molti capelli in testa e uno sguardo puntuto e scuro.

Accanto alla reception c'era il quadro con le chiavi appese, era piccolo e perciò le stanze alla fine non dovevano essere molte. Mi chiesi se al chiodo della 14 mancasse la chiave, se fosse mancata per tutti quegli anni.

Di fronte al bancone saliva la scala che portava alle camere. Una scala con i gradini di legno scuro e il corrimano col pomo in fondo. Non parlavamo, scorrevamo le fotografie e lasciavamo che davanti ai nostri occhi si spalancassero specchi con la cornice dorata, credenze con piatti di porcellana e bicchieri, i divani rossi, scaffalature di libri e qualche avventore seduto di spalle o ripreso controluce. Si vedevano i piani a ringhiera, le stanze con i battenti di ciliegio pesante, abat-jour con i coprilampada leggermente obliqui.

Anche gli interni dell'hotel, come la strada su cui si affacciava, sembravano rispondere a una forza di gravità appena un po' diversa, trasversale, che faceva apparire ogni cosa straordinaria.

E poi c'era una stanza da letto, ma non era come le solite immagini che si trovano delle camere di hotel, col letto rifatto ripreso col grandangolo per fare apparire lo spazio piú ampio. No, questa era la foto di una stanza in disordine. Forse l'aveva scattata qualcuno che ci aveva appena dormito. Sul letto, in primo piano, stavano uno zaino di pelle rovesciato, un libro e una guida della città. Una sottoveste di seta nera e un pacchetto regalo ancora chiuso da un nastro arancio, un blocco per appunti e, al centro della coperta, delle scarpe da tennis. Delle scarpe da tennis identiche a un paio che avevo anch'io.

Niente di cosí straordinario, era una marca abbastanza comune, e tuttavia, che fosse proprio lo stesso modello e lo stesso colore e che fossero una accanto all'altra, in ordine su quel materasso, mi fece uno strano effetto. Quell'immagine aveva prodotto in me una specie di corto circuito, come se il senso di familiarità che mi trasmettevano le scarpe stesse contagiando il resto. Di colpo, tutte le cose sul letto mi sembrarono mie, e alla fine ebbi come l'impressione di essere già stata in quella camera.

L'hotel si trovava al n. 3a di via Borgo Dora, nel sito c'era persino l'indicazione della latitudine e della longitudine – Lat: 45°4'43238" N, Lon: 7°41'3246" E –, cosa curiosa, perché di solito latitudine e longitudine si indicano per le zone inesplorate o nei viaggi per mare.

Negli atlanti che studiava la mamma c'erano latitudine e longitudine.

– Allora ti piace? – mi aveva chiesto la nonna e io avevo pensato che sí, mi piaceva, e mi piaceva anche avere la chiave della stanza 14.

A vedere quelle porte, avevo pensato che le serrature potevano essere rimaste le stesse nel tempo e cosí magari davvero la mia chiave apriva ancora una stanza.

La mamma uscí dal bagno e mi domandò se ero pronta. Il mare si spalancava calmo e azzurro appena oltre la foce, era una lastra di smalto. Anche il fiume quel mattino scor-

reva lento e creava ombre lunghe sotto i pontili, gli alberi
e dentro le insenature dei moli.

La mamma sembrava felice, un po' eccitata. Alla fine
aveva avuto ragione lei, la barca non l'aveva reclamata nessuno, e cosí ci avevamo lavorato mentre pulivamo la casa.
L'avevamo sverniciata e carteggiata e alla fine ritinteggiata
di rosso. Ero stata io a volerla di quel colore. Rossa, come il
vestito della nonna quando impugnava la sua pistola, rubava
l'oro e faceva saltare i ponti. Rossa come i capelli delle donne
della mia famiglia. Rossa come il batacchio della chiave 14.

Avevamo fissato alla poppa un fuoribordo da dieci caval-
li, ce lo aveva prestato un vicino, che si era anche offerto
di aiutarci a rimetterla a posto, ma la mamma non aveva
voluto. Della barca voleva occuparsi da sola, al massimo
con l'aiuto mio e della nonna, che quella era una roba da
donne, aveva detto ridendo.

– Allora, Agata? – La mamma stava sulla porta e mi
guardava. – Ci sei?

– Quasi.

In quel momento arrivò anche la nonna. Mi studiò in-
clinando la testa da un lato.

– Sai che stai proprio bene oggi.

C'era il sole e il fiume si rifletteva sul soffitto come
nelle giornate d'estate. I muri parevano vibrare per il movimento dell'acqua.

La mamma mi venne vicina, guardò nello zaino e disse
che non avevo preso poi tanta roba e che forse c'era ancora un po' di spazio.

– Portati anche questo.

Era rimasto lí appeso tutto il tempo, il mio abito da sposa. La mamma staccò la gruccia dall'anta e un odore forte
di mare si sollevò nella stanza.

Non capivo perché. Sarei comunque tornata tra qualche giorno e ancora non sapevamo quando avremmo fissato
la nuova data. Giacomo e io ne avevamo parlato, ma poi

alla fine non riuscivamo mai a stabilire il giorno. Intanto avevamo deciso di passare il fine settimana insieme. Nella nostra nuova casa.

Prendo le chiavi, gli avevo detto. Questa volta voglio aprirla io la porta. Lui si era messo a ridere, ma credo non avesse capito.

– Portatelo. Può sempre servire un abito da sposa, – ripeté la mamma e, senza ch'io potessi farci niente, lo piegò e lo sistemò sopra gli altri abiti.

Poi disse, aspetta, aspetta, ho dimenticato di darti una cosa. Scomparve in camera, la nonna e io la sentimmo frugare nei cassetti, aprire e chiudere il mobile e finalmente tornò puntandoci contro il suo coltello a scatto.

– Tieni. Anche un coltello può sempre servirti.

Per un momento pensai che mi stesse equipaggiando come per un viaggio, e invece andavo soltanto a Marinella. Ma non dissi niente. Presi il coltello, sorrisi e m'infilai la giacca. Diedi un bacio sulla testa a Madama Butterfly che era cresciuta, ma continuava a strusciarsi contro le nostre gambe come un gatto. Il giorno prima aveva mangiato tutte le carote della nonna, rubandole dall'orto.

Raggiungemmo il pontile. Ripensai alla prima volta che ero salita su una barca, a mio padre che mi aveva preso sotto le ascelle e mi aveva issato a bordo. Ebbi un momento di esitazione. La mamma era già a poppa e teneva la cima per avvicinarsi. Io lasciai lo zaino e in un modo o nell'altro riuscii a salire da sola.

– Forza che andiamo per mare, – disse sorridendo.

Sganciò l'ormeggio, salutammo ancora una volta la nonna che era venuta fino al molo col suo binocolo per seguirci. Infine salpammo.

Quando raggiungemmo il centro del Magra, la mamma frugò nella borsa e allungandomi la macchina disse: – Dài, fammi una foto mentre navigo.

L'Olympia di mio padre.

Dunque l'aveva avuta lei per tutto quel tempo? Guardai dietro la finestrella, il numero che compariva era 7. Doveva essere ancora il mio ultimo rullino, quello che avevo lasciato senza finirlo.

La caricai. Pensai una cosa strana, che le macchine fotografiche si dovevano caricare, proprio come le pistole. Le dissi, sorridi, ma mia madre lo stava già facendo, e alla fine scattai.

– Adesso vieni qui, che ce ne facciamo una insieme.

Puntammo l'obbiettivo verso di noi, ci sistemammo vicine a poppa, poi scattai. Se guardo oggi quella foto, un po' mossa, mi rendo conto di quanto ci assomigliassimo quel giorno mia madre e io.

– Tienila tu la macchina, – disse la mamma. – È tua. Solo tu la sai usare.

Mi accorsi, voltandomi, che da dove eravamo si vedeva bene la Casabianca. Puntai l'obbiettivo e scattai di nuovo.

– Un giorno te la venderanno, – disse la mamma. – Offrirai una cifra talmente alta che i preti non potranno dirti di no.

Ci mettemmo a ridere e restammo in silenzio mentre la barca scivolava sull'acqua. La nostra traversata non fu molto lunga, ma ci sembrò comunque di solcare l'oceano e di avere tutte le carte in regola per sentirci un po' come sull'Hispaniola, la goletta su cui Stevenson aveva fatto navigare Jim e Long John Silver. In fondo non avevamo anche noi il nostro tesoro in famiglia? Non l'aveva forse dissotterrato di notte mia nonna, come nella migliore tradizione dei pirati?

Mia nonna, che aveva preso l'oro, che sapeva sparare ai barattoli di fagioli e agli alberi, mia nonna che in qualche modo aveva fatto saltare un ponte. E che un giorno aveva rubato la chiave di un hotel di Torino.

La mamma mi portò a Fiumaretta.
La salutai e scesi. Percorsi il molo e arrivai dove c'era-

no le ultime case e poi la spiaggia. Si vedevano già da lí i palazzi di Marinella. Non avevo detto niente a Giacomo. Volevo fosse una sorpresa. Camminai ancora un po' sul lungomare, girai verso l'interno e presi il vialone lungo, costeggiato dai canneti. Forse avevano appena pulito le strade perché il manto era bagnato e l'aria sapeva di asfalto.

Rinfrescume, avrebbe detto la nonna.

Arrivai fino al cancello, lo spalancai. Era strano, i condominî erano a poche centinaia di metri dal mare, ma per qualche ragione il mare da lí non si riusciva a vederlo, e neanche a sentirne l'odore.

Guardai verso il palazzo. Le tapparelle del nostro appartamento erano abbassate. Giacomo non doveva essere ancora arrivato. Pensai al buio che ci doveva essere dentro, con tutti i mobili nuovi e la plastica degli imballaggi. Pensai al materasso ancora sottovuoto.

Mi diressi verso il portone, piú lentamente di quanto avrei voluto. Mi venivano in mente come in fila tutte le volte che c'ero venuta. La prima, quando ci aveva fatto entrare Pietro, e le altre con Giacomo. Di fronte all'ingresso mi misi a frugare nella borsa alla cieca. Facevo sempre cosí per trovare le chiavi, e infatti dopo un momento le trovai.

Non era il mazzo di Marinella, lo riconobbi al tatto. Era il portachiavi con la Mole da un lato e il numero 14 dall'altro, quello di plastica fredda e rossa.

Pensai alle scarpe da tennis, appoggiate sul letto nell'immagine dell'Hotel San Giors e mi resi conto che, d'istinto, prima di uscire, avevo indossato proprio quelle.

Allora mi voltai e iniziai a camminare, guardando la punta delle scarpe che si appoggiava a ogni passo, e percorsi tutta la strada senza fermarmi, lungo gli stagni e i lungomare fino a Marina di Carrara e poi girai verso le Apuane e tagliai il centro e le piazze e superai il cavalcavia e passai sotto l'autostrada fino alla stazione, senza fermarmi, e l'ultimo pezzo lo feci quasi correndo, presi il sottopassaggio e il primo treno nella direzione giusta.

Con il mio abito da sposa, un coltello a serramanico e la chiave della stanza 14.

Arrivai a Torino ch'era quasi sera.

Non sapevo esattamente in che modo, ma ero sicura che fosse stata la nonna a portarmi fin lí, anche se in seguito avrei scoperto che fin lí, in realtà, mi ci aveva portato mia madre.

Si era accorta subito che le fotografie mi avevano incuriosito e probabilmente aveva concluso che era l'ultima occasione perché io potessi avere quella vita speciale che lei aveva sempre desiderato per me, quando mi diceva che la Duras abitava in Cocincina e Amelia Earhart sorvolava l'oceano col suo biplano. O quando aveva attaccato su forchette e porte e coltelli i biglietti con il nome in inglese, perché sapessi come si chiamavano le cose dall'altra parte del mondo.

Mi aveva guidato, ora sottraendomi delle informazioni, ora dandomene di sbagliate perché a me venisse voglia di saperne di piú. Alla fine mi aveva fatto trovare il baule rosso, la foto della nonna con la pistola, la lettera di Paolo nella scatola, laddove in realtà non era mai stata. Per tutto il tempo aveva saputo di poter contare sul fatto che la nonna volesse ancora tenere nascosta quella storia, anche se non ce n'era piú alcun bisogno e che io, scoprendola piano piano, avrei deciso per me.

Quando avevamo finito di vedere le foto dell'Hotel San Giors, la nonna aveva spento il computer e si era alzata.
– L'ho rubata io la chiave, – aveva detto, all'improvviso.
– È bello l'Hotel San Giors –. E dopo un momento aveva aggiunto: – Ci sono stata una notte. Una notte soltanto, – poi aveva spostato lo sguardo su Madama Butterfly, che se ne stava addormentata in fondo al mio letto.
– Tienila con te, stanotte, Agata –. Ed era uscita.

Dunque si erano visti ancora una volta, proprio come lui le aveva chiesto nella lettera. Forse era successo molto tempo dopo, lo avevo sempre pensato che la chiave col suo batacchio di plastica doveva essere degli anni Sessanta. E lui aveva continuato ad aspettarla, dietro alla finestra cerchiata di rosso.

Quella notte le aveva dato la scatola con le fotografie. Le avevano riguardate insieme e forse lui le aveva raccontato del ponte, di quando le cariche erano esplose e i piloni avevano ceduto e la volta centrale del Parabolico era venuta giú. Poi l'aveva baciata, come nel sogno.

Mentre entravo al San Giors, immaginai la nonna lí nella hall. Il sorriso al portiere e la chiave nella borsetta.

Mi avvicinai alla reception. L'uomo era lo stesso del sito, coi capelli folti e gli occhi a spillo. Chiesi una stanza, poi mi feci coraggio e gli domandai se mi potevano dare la 14.

– Se è libera e non vi crea troppi problemi. Sa, tanti anni fa ci ha dormito mia nonna, è lei che me ne ha parlato.

Il tipo fece segno di sí, mi diede la chiave e mi disse di fare attenzione, perché a volte era un po' difettosa.

– Colpa delle serrature che sono vecchie e andrebbero tutte cambiate, – disse.

Salii le scale, raggiunsi la camera 14, provai a mettere la mia chiave nella toppa e girava ancora, la porta si apriva. Del resto, non è che le chiavi possono smettere di aprire le porte.

Entrai, mi tolsi le scarpe da tennis e, in ordine una accanto all'altra, le appoggiai sopra il letto.

Ringraziamenti.

Questo romanzo, ho pensato alla fine, è un po' come una casa.

Ringrazio Paola, Dalia e Angela per avermi aiutato con il progetto, le metrature, la divisione delle stanze.

Ringrazio Simona, Marco e Marina per aver scelto con me il colore delle pareti, i mobili, i quadri e certi oggetti da sistemare sulle mensole, cosí piccoli che quasi nessuno entrando se ne accorgerà, ma noi sapremo comunque che sono proprio quelli che volevamo ci fossero.

Ringrazio Yara, Monica e Viviana per i lavori alla facciata.

Ringrazio i miei zii Roberta e Adelchi per le storie modenesi, senza le quali non avrei mai cominciato a buttar giú le fondamenta.

Ringrazio mia madre e mio padre per avermi dato il desiderio di costruire, che è la cosa piú importante.

E poi ringrazio Emiliano, che in questa casa con me ci ha abitato fin dal primo momento. Come sempre.

Nota.

Come detto, questo è un romanzo, per cui valgono le solite cose che si dicono quando si tratta di una storia inventata: e cioè che nessuno di questi personaggi esiste davvero, e se qualcuno leggendo dovesse essersi riconosciuto è solo per via del caso (che spesso piega le nostre vite in forma di romanzo).

Certo ci sono somiglianze, ricordi e spunti, ma è piú per amore che per bisogno di realtà.

Un'altra cosa che ho fatto è stata prendermi qualche licenza rispetto a tutto ciò che di vero circonda i miei personaggi: ogni tanto ho spostato luoghi, tempi, episodi.

E. S.

Indice

197

Stampato per conto della Casa editrice Einaudi
presso ELCOGRAF S.p.A. - Stabilimento di Cles (Tn)
nel mese di gennaio 2020

C.L. 24328

Ristampa   Anno

0   1   2   3   4   5   6   2020   2021   2022   2023

THE STOR. ⌐.

PORT NAVAS

Landfall Publications

The Higher Quay at Port Navas, about 1910,
showing the overhead crane and granite awaiting shipment

THE STORY OF

PORT NAVAS

Peggy and
Douglas Shepperd

Proceeds from the sale of this book will be given to the
MacMillan Nurse Appeal.

First published 1994 by
LANDFALL PUBLICATIONS
Landfall, Penpol, Devoran, Truro, Cornwall TR3 6NW
Telephone 0872 862581

A CIP catalogue record for this book is available from the British Library.

ISBN 1 873443 15 3

Printed by the Troutbeck Press
and bound by R. Booth Ltd, Antron Hill, Mabe, Penryn, Cornwall

To Port Navas and its people,
past, present and to come.

The first visit to Port Navas of the Duke of Cornwall (later Edward VIII), in about 1921

CONTENTS

ACKNOWLEDGEMENTS

We are most grateful to all our friends and neighbours, who have given their time to help with the compilation of this story. We have pestered the memories of some of them until we must have become absolute bores to them but no one of them has ever complained. We thank them very much and we list them here alphabetically.

Geoffrey Bird
Francis Gendall
Mildred and Roy Guy
Leonard Hodges
William Laity
Arthur, Gordon and Marjorie Rendle
Desmond Reynolds
Brian Spargo
Sally Thomas
Philip Webber

We would also like to thank Ms Angela Broome of The Courtney Library at the Royal Institution of Cornwall and Captain George Hogg of the Cornwall Maritime Museum, Falmouth, for all their help and suggestions. The Local Studies Library, Redruth, have always been ready and willing to produce anything within their power, and their cooperation and painstaking assistance have been very much appreciated. Mrs P. Staite of the Falmouth Library has never failed to suggest and obtain any book we have needed. Without the help of all these very patient people we probably would not have known even where to start.

Peggy and Douglas Shepperd
Port Navas, Cornwall
March 1994

ILLUSTRATIONS

Our thanks go to the following very kind people who have given us permission to use their photographs and old postcards to help illustrate this history. (The figures refer to page numbers.)

Alan Austen 2, 33
Terry Brett of Winchester 44
Courtney Library of the Royal
                    Institution of Cornwall 29, 32, 17 (both maps)
Hilda and Doreen Harrison 11, 12
Capt. George Hogg, Curator of the Cornwall
                    Maritime Museum, Falmouth 47
Will Laity 30
Roger MacDonald Front & back covers, 64
Public Record Office, Kew, for permission to use
                    part of the Constantine Tithe Map, page 58
Willy Rashleigh of Mawnan 59
The Rendle Family 46, 49, 72, 75 (both), 78
Malcolm Reynolds 55
Frank Ruberry 21
Liz Scribbans 57
Brian Spargo 68, 73, 77, 79
Sally Thomas 76
Ferrers Vyvyan, Trelowarren Estate 66
Philip Webber 6
Mrs Williamson (daughter of Capt. Tom Collings) 31

The remaining photographs, maps and diagrams are the work of Peggy Shepperd.

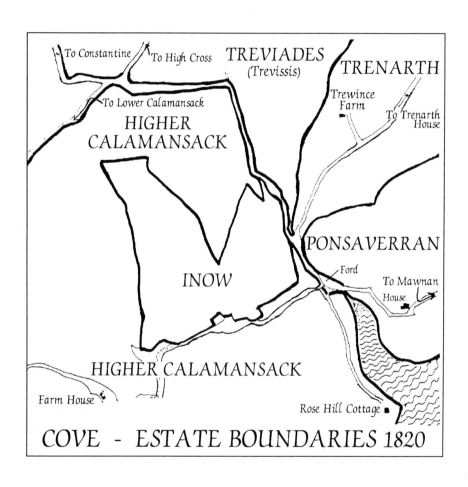

COVE - ESTATE BOUNDARIES 1820

CHAPTER ONE

The Story Begins

The purpose of this book is to give an easily readable and we hope interesting history of this lovely village.

In order to understand this story, one must first go back in time and look at the origins of the lands around the village. Like most estates, they are very complicated but if one tries to imagine the people referred to, how they were dressed, what they talked about and what the hamlet looked like at the time, they come to life and it makes the whole story very real.

At the time of the battle of Waterloo, what is now called Port Navas was still but a tiny hamlet, with the boundaries of five ancient estates meeting there - Trenarth, Treviades, Inow, Ponsaverran and Calamansack. There were also about three small farms and three or four smallholdings, all sublet from the main estates. At that time it was called Cove and some of the older people still call it that today.

The information has been reduced to the essentials necessary to have a reasonable understanding of the history of these properties and they have also been simplified where possible. For more detail please consult our references.

The first recorded mention of TRENARTH MANOR according to Henderson's *History of the Parish of Constantine* was in 1260 when it was owned by the Trenerth(*sic*) family. They held it for many generations until somewhere at

Trenarth Manor - front

the beginning of the sixteenth century it was owned by a family called Crane, of Camborne. A story has been told that it was lost to them in a game of cards but we have not found any documentary evidence to support this.

In the Chancery proceedings of 1515-25 there is a record of a suit brought against the Cranes by Thomas Trenerth concerning lands in "Trenerth, Trewyns and Penreveren recently owned by Jenkyn Trenerth the plaintiff's uncle." Presumably he eventually won the case, for the Trenerths lived there again from about 1540. This case could be a pointer to the truth of the game of cards story.

Trenarth Manor - rear

For a short time (c.1660) it passed to Anne (née Trenerth) who had married "the boy next door", namely Henry Trefusis of nearby Treviades. She was the eldest daughter of James Trenerth and was heiress to the property, her brother having died young. Thus on the death of her father it passed to her. So that once, for a short time, the two manors Trenarth and Treviades were both owned by the same family. Later, after the death of her husband, she gave Trenarth to one of her sons, who held it until he died in the early eighteenth century, when it passed to the Nicholas family, descendants of whom were living there when this story begins. Whether this last change was by inheritance or by sale we do not know.

TREVIADES MANOR (until very recently always called "Vissis" by the locals) dates back to the early thirteenth century. The first name recorded was Baldwin de Treviados, who held it from the Duke of Cornwall. After about five generations of the Treviades family, Joan, the daughter and heiress of one James de Treviades, married Peter de Trefusis of Mylor; thus it became a Manor of the Trefusis Estate and was owned by them until in 1920, following the 1914-18 war, Lord Clinton sold off peripheral parts of their lands. The Trefusis family, by marrying well over many years, had built up a very large and powerful estate principally in the parish of Mylor, overlooking Carrick Roads.

One of the three farms mentioned above was called Trewince, which was off the lane that led from Cove up to Trenarth. In 1613 James Trenerth is mentioned as "Holding Trewyns as a free tenant of Treviades Manor rendering a Red Rose annually with 18d and suit of Court and a relief of 6/3d ...."

By 1820 this farm had become part of Trenarth manor but as mentioned above it had earlier belonged to Treviades, which also owned the two other farms, called Iccombe Wartha (higher) and Iccombe Wollas (lower), which ran on either side of the road up the hill to High Cross.

Halfway up this hill to Treviades, on the right hand side of the road is a very wide recessed gateway giving a lovely view of the Port Navas valley. This opening is what remains of the entrance to Iccombe Wartha. The farm house stood on the opposite side of the road above the high bank where there are now some trees. The boundaries of the house can still be seen (1993) in the long grass of the field, and the spring from which their water came can often be seen pouring out of the hedge and down the road in rainy periods.

Iccombe Wollas was lower down the hill, in the field on the opposite side of the road to the gate leading to the silage pit. Mr Antron Knowles, when farming this land, often used to plough up large stones while working over the site of the old farmhouse and its mowhay.

Treviades Barton - the Old Manor House

13

Both of these farms disappeared from the census returns between 1851 and 1861, and the land reverted to Treviades. Recently many of the hedges have been removed, the fields being turned into one very large one.

INOW, the third estate mentioned, had been mostly Vyvyan land let to tenant farmers but the 1841 tithe map schedule shews that by then it had been split into two parts of 37 and 21 acres respectively. The former belonged to Lord Clinton of Trefusis, and the latter to the Vyvyans of Trelowarren and Merthen. It is believed that this division was part of a marriage settlement in about 1825-30.

Estate number four, PONSAVERRAN, with which we are principally concerned, was first named as part of Trenarth lands in 1327, when it was known as Penreveren, probably named from the headland or *pen* on which it stands between the two branches of Port Navas Creek.

Around 1649 it was bought by Walter Kestell of Manaccan as a separate entity, and an interesting story is told about him.

He and his wife were in their sixties and had no son. Being determined that the estate should continue under his family name, he persuaded a young, unrelated man of the same name, called Hannibal Kestell of Egloshayle, to marry his daughter, Avis, promising that the estate should go to them if Walter had no son. Sadly for Hannibal and Avis, Walter's wife died, and he married her young maid, who presented him with a daughter and a son, John, who therefore inherited everything. Poor Hannibal and Avis returned to their mortgaged property at Egloshayle and poverty.

It continued to be passed down through the Kestells until in 1780 it was bought (and consequently with it half of what is now Port Navas) by James Mayn of Calamansack. He was the son of an old and much respected local family - more about them in the next chapter.

The fifth and last of the estates was CALAMANSACK, of which the history is most complicated. It starts around the time of Domesday, when it was owned by the Lords of Allet (now Idless near Truro). At that time it was called "Kilmonsek" and later it became "Kilmanjak". Until very recently, the local people always used to refer to it as "Ca'manjack". Over the years, many families including the Arundells of Trerice seem to have owned it, part owned it, or used it as marriage settlements.

In 1621 Richard Penwarne of Penwarne near Mawnan died; he had been a tenant of Kilmanjack, which "was held in Socage of James Trenerth of the Manor of Trenerth by fealty" (that is to say by service and loyalty). The service was the gift of a red rose annually.

In 1649, a survey gave the owner of Higher Calamansack as Sir Richard Vyvyan. The lands of Lower Calamansack were split up, 40 acres being owned jointly by Mrs Joan Bonython and Jane Eathorn. The other 41 acres were in the name of Robert Penwarne. Presumably these were the beneficiaries of Richard Penwarne.

The 1842 tithe schedules give the owner of Higher Calamansack as Sir Richard Vyvyan and Lower Calamansack as being in the joint ownership of Sir Richard Vyvyan and Francis Rashleigh. The tenant of the latter estate was James Mayn.

There were about a dozen cottages altogether in Cove, mostly tied to the farms and smallholdings. The tiny fields on the west side of the road and creek from Trewince Lane to Rosehill Cottage were used as orchards and for the growing of soft fruit.

This sleepy hamlet had been like this for centuries, and apart from such disasters as the Black Death, the fear of invasion, pirates and a few local scandals nothing very much had ever disturbed it.

The earliest reference we have found to the name Porthnavas was in a quotation from a legal document in the history of the Mayn family (see Chapter 2), which said: "..... in 1780 he purchased one full moiety of Ponsaverran and Porthnavas....". We have not examined this document, and the earliest mention we have seen ourselves was on the first Ordnance Survey map of the area published in 1813. It was small-scale and rather blurred but we managed to decipher the word "Portnava" *(sic)* in the right place.

Charles Henderson quotes a lease of 1649 in which it is called Porhanaves and another in 1729 where it is written Porranaves. In his appendix on field names, he quotes these and thinks they might be a corruption of Porth-an-hewas or "Harbour of the summer abode".

The Itinerary of John Leland the Antiquary (1534-43) states: "Paul Wheverel [is] about half a Mile lower (than Tremayne), and there is on the same side a Mile lower another Creek callid Cheilow, *alias* Calmansake."

In a map by Martyn dated 1748, Port Navas is not mentioned, but the creek is shewn as Chielow Creek, named after a previous owner of Budock Vean.

On the other hand Bannister's "Glossary of Cornish Names" says: Porth means Port, and Navas is from the Cornish - Knava or Cnafa meaning "offspring, son, boy or youthful". It is of interest to note that the German word Knabe also means a youth, b and v being interchangeable in German. However, academics of the Cornish language do not give much credence to Bannister's book and they tend not to rely on it.

Padell in his *Popular Dictionary of Cornish Place-Names* (1988) attributes it to Porth-an-Davas, meaning "The Cove of the Sheep."

Suffice it to say that the name "Port (sometimes Porth) Navas" as two words, did not come into general use until after 1820 and one would venture to suggest that its new meaning was quite simply "The Young Port" (or even The Little Port, as opposed to Gweek the much larger and older one). This was based partly on the old names, which had been handed down by word of mouth and thus corrupted over the centuries, and partly on the need for a practical name that described what the village had now become. The spelling "Navis" occurred much later and may have been due to spelling it as it was pronounced. It appears on picture postcards around 1890 *et seq*. This has given it considerable publicity. The occasional appearance of this spelling earlier was probably due to the same cause.

The creek probably had a few pulling boats moored on it, and there might have been two or three larger fishing boats lying out towards the Bosom. The quay road did not exist but the same wildlife was there just as it is today. The forebears of our birds, the herons, redshanks, swans, curlews and even of the old kingfisher who lives at the top of the creek, were there, just as were the forebears of the badgers, the foxes and the field mice. The tides came and went giving the village its same two faces, just as they do today.

The road from Constantine was much as now, and old maps shew the same bends, turns and farm entrances, which we know so well. The lovely view of Calamansack Downs and Polwheveral Creek, which both visitors and locals still stop their cars or horses to admire, must have been the same then as it is today, for there has been almost no building in all these years.

One major difference, however, was that in the centre of the hamlet by what must have been a water splash over the stream, two roads ran off in a westerly direction, making it into a sort of crossroads. One, of course, is still there, following the bank of the creek to Rosehill Cottage.

The other ran westwards up the valley to Higher Calamansack (or Kilmanjack as it was called). About two hundred yards after crossing the stream it gave off an uphill spur to Inow. On reaching Calamansack it went on to join the road from Lower Calamansack, returning to meet the main road at what we now refer to as Calamansack Gate. There was not much difference between the farm lanes and the main Highway. The upkeep of the latter was the responsibility of the landowners overseen by the Vestry, and everyone got away with as little maintenance as possible.

This way up to Calamansack has only recently been closed although it had been recognised as the way up to the hamlet for centuries. Within recent times Jack Nicholls, now passed on, used to use it as his way home and always kept the path trimmed back. The older residents can remember carts using it.

Further up the hill towards Constantine, on the opposite side of the road, Trewince lane led up to Trenarth Manor, and the big granite gateposts still stand at the bottom of the lane today.

Parts of Martyn's map (1748) (above) and Greenwood's (1827)

Old granite posts of Trenarth Gate at the bottom of Trewince Lane

1820 was a threshold for Britain. George IV was just about to succeed his father, the ailing George III, the Napoleonic wars had ended and this country was trembling on the edge of the most momentous changes since the Reformation.

The Industrial Revolution was well under way and the harnessing of steam power was further to transform industry and transport. Macadam and Telford were building greatly improved roads based on the old Roman methods, and already the Mail Coaches were able to average 12 mph, but within a mere thirty years a network of railways would have been built and would still be growing!

During the 1830s legislation was passed setting up a registration system for births, deaths and marriages. Further momentous legislation was also passed abolishing tithes, and replacing them with a rating system.

In this connection, a large scale map of each parish had to be prepared by the principal landowners. It was to enumerate every piece of land and building. Accompanying schedules were to give the names and values of all the fields and the owners and occupiers of every part. These Tithe Maps and Schedules where they are available give an exact picture of the parishes as they were in 1842 and are invaluable to local historians. We are lucky in that the Constantine Map is still in existence.

There was to be a census in the first year of each decade giving much more information than the ones theretofore, which had been merely a head count. These were to commence in 1841. They are an absolute boon to genealogists and those who are interested in ferreting out local history!

The discovery of electro-magnetic induction by Michael Faraday in 1831 was to enable Wheatstone to make the telegraph possible, and in fact the first public telegraph office was opened in 1844. Rowland Hill was to create an efficient postal service and introduce the penny post in 1840. It was mind-boggling, and all to happen within about twenty-five years.

The cities were improving their amenities. There was a call to erect imposing public buildings and many more churches. The Georgians and later the Victorians had a passion for statues, which they indulged freely. Lighthouses were being built, and dockyards were being increased in size, because of the importance of the Royal Navy and the Merchant Navy in maintaining the supply lines to and from the growing British Empire.

Cities and towns were getting rid of the very picturesque but uncomfortable cobbled streets and replacing them with more practical, smoother surfaces using granite setts, the borders of which were raised six inches and sloped slightly so that surface water drained off into a gutter and made a walkway or pavement clear of the mud and dung of the road. These "Pavements" were surfaced with York stone and edged with granite kerbstone.

All this work called for granite, which had become very popular on account of its durability. It only occurs in any quantity in two areas of the British Isles: around Aberdeen and in the South West Peninsula of England. There are only very minor deposits elsewhere.

The four main granite bearing areas in the South West are Dartmoor, Bodmin Moor, Carnmenellis (Penryn) and West Penwith. By far the most accessible of these for the necessary transport to reach was the Carnmenellis field because it had plenty of lanes and roads near to the granite.

Outcrops of granite known as "Moorstone" had been worked for centuries and used locally for building, paving, pig troughs, cyder presses, granite quays and so forth. Now the enormously increased demand soon used up the outcrops and necessitated following the stone down into the earth. Hence the advent of quarries and the granite trade.

There was, however, an enormous problem in transporting the granite up-country even from the quarries of the relatively accessible Carnmenellis field.

Granite is a very heavy commodity and difficult to handle. It was impractical to take large loads long distances by road. Russell's Transport from Falmouth took seven days for a six-horse wagon to reach London - an average of fifty miles per day! It required many changes of horses or alternatively long periods of inactivity whilst they rested. Either of these factors of course raised the cost of the delivered commodity; furthermore, tons and tons of the stuff would have to be moved.

LEAVING THE OFFICES, KILLIGREW STREET EVERY MONDAY AT NOON.
AND ARRIVING AT THE CASTLE AND FALCON INN, ALDERSGATE STREET,
LONDON, ON THE FOLLOWING SATURDAY? JUNE, 1833.

Russell's Wagon to London, about 1835

The railways to London and the North did not arrive in Truro till 1863; thus at the time of which we are writing, transport by road was quite impractical, and the railway was still forty years away, leaving sea transport, the centuries-old method of conveying goods around Britain, as the only practical one. The Coastal Schooners were the work-horses of the period, for coastal steamships had not yet arrived and were slow to do so, all investment being used in the first instance to provide steam vessels for the more remunerative overseas trade.

So the Carnmenellis quarries sent their granite to the Port of Penryn.

This required heavy wagons with eight- to twelve-inch steel tyres drawn by teams of six and sometimes eight heavy cart horses to take the loads uphill and down the very steep College Hill into Penryn, all this over narrow, bad roads the six miles or so to the wharves. Ten to twenty tons at a time, and sometimes special loads of forty tons and more had to be carried.

20

The Story Begins

One wonders what happened when these vehicles met local traffic coming the other way. We all know what it is like nowadays with comparatively manoeuvrable motor cars and tractors. The drivers of those days must have had a good sense of humour and kept life well in perspective!

The quarries around the Constantine area and to the west had furthest to go and it is almost certain that by the mid 1820s a few of them were sending their carts down to Cove, where some of the smaller ketches were coming up to the head of Port Navas creek at high-water springs, taking the ground and loading from carts on the beach, in the same way that they had done for centuries at Durgan, Porthallow and Helford. It should be remembered that there was much less mud here in those days: the heavy silting is comparatively recent and is put down to different methods of ploughing resulting in soil being washed down by the rain.

The scene was set for Cove to become a port.

REFERENCES:
1. *A History of the Parish of Constantine* - Charles Henderson (1930)
2. *Lake's Parochial History of Cornwall* - Joseph Polsue
3. Royal Institution of Cornwall   -   Census returns and Tithe Schedules, Constantine Vestry Records and old maps
4. Public Record Office (Kew)   -   Constantine Parish Tithe Map

Durgan

A coastal vessel beached for unloading between tides. The same method was almost certainly used at Port Navas before the quays were built.

21

CHAPTER TWO

Ponsaverran and the Mayne Family

It was the Mayne family who were instrumental in helping Cove to become a granite port, to such an extent that in the 1880s Lane's Guide to the Helford River described it as "... this busy little port."

Although the biggest landowners were the Vyvyans of Trelowarren and the Trefusis family represented by Lord Clinton, the Maynes actually lived in Port Navas on their small Ponsaverran estate, and had such a great effect on the village during the nineteenth century that it is part of the ongoing story to know more about them.

They were a very old and interesting family of Constantine Parish. Their name, which was spelt in a variety of ways over the centuries, was thought to have come from Maen Pol and Maen Pern farms in the northern, granite-bearing part of the parish, where the earliest members of the family had lived.

In mediaeval times and for many years they lived at Polwheveral, where they leased from Treviades Manor fulling and tucking mills and a small cloth works. In documents they were variously described as "tucker", "fuller" and "weaver". They also farmed and were involved with others in many disputes with the Vyvyans over fishing rights, but were eventually given permission by Sir Richard Vyvyan of Trelowarren to put out a "ground sayne" for pollock, whiting, mullet, etc. up-river from a line joining Maen Broath rock to Calamansack Bar, whence the Vyvyans owned the fishing rights.

By the seventeenth century some of the family had moved to Lower Calamansack, where they had a piece of land for drying their nets, and later they also farmed there.

At times a few of the family had money problems. In 1572 the Vestry book recorded that Symon Meane (*sic*) was delivered "one Heifer all white at half store, stock and increase for the term of eight years if the said Symon Mean dwell so long in this parish and if he do depart to re-deliver it up again." Two years later he was a ratepayer, so had presumably succeeded in overcoming "disaster and defeat". In 1695 Mr. John Main (yeoman of this village) died in debt to creditors in Exeter to the sum of £200.

In 1780, James Mayn of Lower Calamansack, the first of the Maynes to carry on the Helford Oyster Fishery, bought Ponsaverran and thereby half of Port Navas. He, with some others, had been involved in a dispute with the Vyvyans over oyster fishing in the river, which the Vyvyans won. (See Chapter 6.) This may have been a factor in his moving to Port Navas.

He must have been a wealthy man as he had other property in Ruan Minor, a freehold estate at Nancenoy and leasehold property at Polwheveral and Stithians. He died in Ponsaverran in 1814.

The house built by Jonathan Mayn at Lower Calamansack in 1780

When James died, his son Jonathan took over Ponsaverran from his own brothers. He was the man who was instrumental in Cove's becoming a granite port. He lived mostly at Lower Calamansack, keeping on the oyster and other fisheries, and farming more land than his father did. He lived first in a cottage, but later had a substantial house built with beautiful views of the river, and a large walled garden. It is now owned by Laurie Collins Esq. Jonathan also built on the beach at a spot called "The Strand", a very good landing place, faced with granite brought by ox draught from the higher part of the parish. His name, "Jonathan Mayn AD 1832", carved on a large block, is still there.

He also had a house built for storing his gear, and for salting surplus fish from his seines, the fresh fish being sold locally, or sent by boat-load to St. Mawes. He was very active and enterprising and very fond of sailing. On one occasion he was bringing home a "four-oared, open, three-masted lugger" from Plymouth. He was caught in a severe gale and nearly drowned when driven ashore, but managed to beach safely at Portscatho. In gratitude he renamed the boat "Providence".

One day, while working on the oysters in the river, Jonathan's eldest son was taken by the Press Gang at the point of a blunderbuss, and transferred to their warship in Falmouth. However, his father very quickly saw the Captain and sorted him out.

On another occasion the Press Gang were searching Lower Calamansack village for one of the villagers, who had got away from them. This man was hidden in the large chimney in one of Jonathan's bedrooms, the big four-poster was pulled in front of the fireplace, and Jonathan's wife, Jane, lay in it - ill or pretending to be.

Jonathan was once sailing with Sir Vyell Vyvyan, who, it was said, "was apt at times to be a little peculiar in his head". Sir Vyell suddenly turned, saying, "One of us must jump overboard, Mr Mayn!" On Mr Mayn's answering "Then it must be yourself, Sir Vyell" the subject was changed.

When visiting his son in Flushing he asked why there were several men lounging about on the quay doing nothing. On being told that they were pensioners and never did anything, he said that rather than idle time like that he would go and catch fish, even if he had to throw them overboard again.

He must have been a man of tremendous character and drive. A contemporary description was: "He was a man of medium height, fair in earlier life, eyes blue and rather deep-set, with bushy eyebrows, clean shaven except for small side whiskers, sharp in face, with a somewhat prominent nose. In character, whilst being pre-eminently business-like, he was of a lively disposition and believed in enjoying life. At the same time he was ever ready, having sown his own crops, to send out his men and his horses to help a neighbour who was behind in his work."

When looking out of the window of Ponsaverran or wandering around his estate, which stretched from Trenarth Bridge to Trewince and came down to the edge of the creek, with no houses in between, he must often have seen the granite carts coming down to the head of the creek, and the frustrations of having to wait for the tide before loading on to the vessels. With a true entrepreneurial spirit, Jonathan built a stone quay (on which now stands Port Navas Club) and a road to it from the village. He also built - facing this new road - a lime kiln, and a sort of Seaman's mission, now a private house on which can still be seen a tablet with the inscription, "J J Mayn" (for him and his wife, Jane) and the date, "1832".

This enterprise transformed Port Navas into the busy place it became - as can be seen in the next chapter.

Jonathan Mayne used to import chalk and lime, which he burned in the kiln for agricultural and building purposes. He held an annual "Lime Feast" in the long room of his new house at Lower Calamansack, at which he collected the monies owed to him for the lime which had been bought. The free feast was a means of getting the debtors to turn up!

Jonathan died in 1835 when he was said to be worth £20,000. Of his ten children, four sons and two daughters outlived him.

His eldest son, also Jonathan, became a purveyor of flour, biscuits, bread, etc. to the Falmouth Packets, and lived in the large tile-hung house on Flushing quay, called New Quay House. He was part of the organisation that revictualled the Packet Ships. When he sensed that the Falmouth Packet trade was coming to an end, he diversified and became an oyster merchant, laying down beds of young Helford oysters at Flushing.

His second son, James, continued to farm at Lower Calamansack. He was a very religious man and, although not dissociating himself entirely from the Church, where the family had been churchwardens for generations, in later life he joined the Wesleyan Connexion and drove to "Church Town" every Sunday to be in Chapel by 9.30 a.m.

The youngest son, Josiah, known as "Capt. Joe", farmed Lower Calamansack and Bufton.

The third son, William, who was probably helping his father in later years, arranged with his brothers that he should run Ponsaverran and the local business. He was variously described in census returns as merchant, farmer employing two men, landed proprietor occupying 36 acres, and Swedish and Norwegian Consul. As will be seen in the next chapter, he still owned the quay built by his father. He died in 1865.

His young brother, known as "Capt. Joe", moved into Ponsaverran.

In 1878, the dead body of Mary Ann, aged 82, twin sister of the forementioned William, was lying in a bedroom. While Cap'n Joe and his wife were in Falmouth arranging the funeral, the house caught fire, and she had to be removed through an upstairs window to the stable, which was used as a temporary mortuary. After being widowed she had lived with her brother at Ponsaverran. Following this calamity, the house had to be rebuilt, but some of the old walls still form part of the present building.

Captain Joe died in 1883. He left one nine year old delicate daughter and his widow took the girl to live in Nice for her health.

William's two sons were clergymen and had moved away, so the estate was bought by their cousin, the Rev. James Mayn, son of James Mayn of

Lower Calamansack. The house, so well seen by anyone coming into Port Navas by boat, although on the ancient site is not the "old gabled farmhouse" which was there for centuries. It had to be rebuilt after the fire and they took the opportunity to improve its amenities and enlarge it.

The road to Mawnan used to pass through their farmyard. The hill must have been very steep for it proceeded along the hillside and used to come out opposite to where Point Cottage is now. The road is still there, in fact the late Group Captain Peck's house is built astride the remains of the old road, part of which is now their drive.

On rebuilding Ponsaverran after the fire, the Mayns wished to build their new house forward over the old road partly to increase its size and partly to remove the inconvenience of a public highway passing through their mowhay. The result was that they built a new road where it is today. This suited them and also gave some much-needed employment to out-of-work granite men. This partly philanthropic act was marked by presenting the new road to the community in celebration of Queen Victoria's Golden Jubilee.

The Rev. James had earlier been Curate of Constantine. In 1855 while there, he married Emily Jane, the daughter of Richard Hosken of Penryn. (See next chapter.) He had moved to Devon where he was Rector of Romansleigh and private chaplain to Sir Thomas Acland. After buying Ponsaverran from his cousins and moving there, he rebuilt and enlarged the house and built new stables. He made many improvements in the village including the building of a Wash House and Reading Room for the use of the village, which are still there although used for different purposes. He died in 1897, leaving one son, Ambrose, who died a bachelor in 1941.

Many people living in the village remember Ambrose Mayne or "Amby Mayne" as he was known and recall with affection the sight of him with a large net, chasing butterflies. Being unmarried, he invited the Constantine village schoolmaster and organist, Mr Seagar, and his family to move in to keep house for him and to help run the estate.

On his death, Ponsaverran passed to friends, and the long, fruitful connection between Port Navas and the Mayne family was over.

REFERENCES:

1. *A History of the Parish of Constantine* - Charles Henderson
2. *The Story of the Mayne Family* (unpublished) - Dr. William Boxer Mayne. Kindly loaned by his grandson John Mayne Esq., E. Grinstead, Sussex.

CHAPTER THREE

Port Navas and the Granite Industry

Granite is an igneous rock. It is made up of quartz, felspar, mica and a few other materials. It was intruded at very high temperature and pressure in a semi-liquid form into the "country" (as the geologists call it) or local rock. It very gradually solidified and as time passed the local rock (country) above the granite was weathered away leaving the top or outcrop of granite exposed. Because the granite was more resistant to weather, it became the high ground and so the "hard spine of Cornwall" was formed. So the granite, apart from a few anomalies, is at the top of the valleys which lead down to the sea, and on this "moorland" we get outcrops of granite known as "moorstone".

In the first half of the nineteenth century the Cornish granite industry grew rapidly, at first using moorstone, then as this ran out, from 1830 or 1840 onwards, it became necessary to chase the granite down and so quarries began to appear. Today our idea of a place from which granite is derived is a "quarry".

It had been used for centuries as a building material and for articles requiring to be made of a hard durable stone. In 1756 Smeaton chose granite from Treglidgewith (a local quarry) for his Eddystone Lighthouse, but sixty years later, when the trickle of stone exported up-country became a torrent, the moorstone ran out and so as we said, it became necessary to quarry for it. The early quarriers then had to learn new techniques, and these they picked up from their colleagues the tin miners.

The technique for splitting the stone was to drill a series of holes with a "jumper", which was a long rod with a hardened iron tip. This tip was ground so as to have two faces tapering to a cutting edge at the end. It was struck with a sledgehammer and turned; again it was struck and turned, and again and again until a hole about two or three inches deep was drilled into the stone. The diameter of the hole was about three-quarters of an inch. This process was rather the same as the "Rawlplug" technique for putting a plug into a wall before screwing to it.

This series of holes were drilled across the granite about two to three inches apart along the line of the desired split and then wedges between two pieces of flat metal called "feathers" were inserted into the holes and driven in gradually right along the line, until the stone split along its cleavage line. Another method was to drive wooden pegs into the line of holes and soak the whole in water. The water caused the wedges to expand and this was enough to split the granite. The rough stone then had to be trimmed with stone chisels until it was smooth enough to use.

Later, when Henry Bessemer had invented steel, this much harder metal was used and it remained sharp for much longer, but the old drills had to be sharpened frequently, which necessitated retempering the metal each time. Each quarry, therefore, had its own blacksmith shop keeping several men fully occupied on sharpening and repairing tools.

About 1860, the granite men began to use blasting as a means of getting the stone free from the granite mass of the quarry. Again they picked up the technique from the tin miners, but still the rocks which the explosion yielded had to be trimmed or dressed laboriously by hand. When one thinks of the millions of kerbstones and granite sets that were made in this way, quite apart from all the other uses for the material, one is flabbergasted at the enormous amount of work that was involved. Further, most of it came from this small and remote part of Britain.

The owner of the land where the quarry was situated would employ several gangs of men each working under a "ganger", who was their leader. The price for a block would be negotiated between the ganger and the quarry owner before the work commenced. Afterwards the ganger would divide the money between the men according to their agreed rates. Buyers would negotiate a price from the quarry owner before placing an order. In turn the quarry owner would then negotiate with the ganger.

The system, called "piecework", had one serious drawback. Trade fluctuated from month to month and in the lean months men had to rely on their savings, which were almost non-existent, in order to live and to provide for their families. It was a hard life, although in theory it was good economics with a direct relationship between the buyers and the sellers, for every gang member was a seller, down to the humblest labourer.

This heavy cumbersome stone then had to be loaded on to great carts and carried along the rough winding lanes to the ships, which again had to be carefully loaded, and would then carry it to the port nearest to its destination.

The quarries in the immediate vicinity of Constantine were Retallack, Maen Pern and Maen Tol, Tresahor Vean, Bosahan, Trewardreva, Trevase, Treculliacks, Callevan, Treglidgewith, Carvedras, Job's Water, Lestraynes and Trewoon; and at Brill, Tremayne and Borease.

Most of these had a very long journey to Penryn, so imagine their joy when they heard that Jonathan Mayne of Ponsaverran was building a quay at Cove, specially designed for shipping stone. This would save the trying business of using the place only on spring tides and manoeuvring the great carts on the difficult muddy beach, the alternative to this being the long haul to Penryn.

On 1st May 1830 the following notice appeared in the *Royal Cornwall Gazette* (afterwards to become *The West Briton*).

TO STONE CONTRACTORS.

TO BE LET BY TENDER, for 7 or 14 years, a new built GRANITE QUAY, 200 feet long, situate at Porthnavas, Parish of *Constantine*, in Helford Harbour, and in the immediate vicinity of the principal Granite districts. The above QUAY is built for the express purpose of Shipping Stone, having a fine road to and from the different quarries, and nearly all down hill.

TENDERS will be received by JONATHAN MAYN, of Constantine aforesaid, till the 20th of May next, after which the Person whose Tender is accepted will have due notice thereof. *April 29th,* 1830.

The quay was the one on which Port Navas Club now stands. It was, indeed, a fine quay, being built of granite blocks, with a new road built to it from the main highway. To build this road had meant revetting the bank of the creek for about 250 yards. It was done by building a wall of local stone. The rocks were about three to four feet in length and bedded into the bank in a vertical plane. Thus the sea water drained easily from between them without destroying the bank.

Every ten yards or so a granite upright was built and the whole wall was capped with a ten-inch granite coping. This wall, partly submerged at every tide and supporting the road, over which the heaviest of traffic must have passed for more than 160 years, is as good today as the day it was built. The technique used in building it was the same as taught by the Dutchmen, who built the quays in Falmouth and Flushing.

The lease was taken by Richard Hosken, who also owned several quarries. The larger vessels began to come in to load and the "New Port" was born.

Port Navis, Cove

The abutment wall built in 1829 - as sound as ever today despite heavy traffic

Coming into the quay must have been no easy task for these vessels, which were purely wind-driven. Having come up the river from Abraham's Bosom, they would probably have had to kedge or warp themselves up the last 300 yards to the higher quay. There was not so much silt in those days for it is doubtful whether these larger schooners could have come up so far if there had been.

There must have been quite a number of vessels arriving and departing some weeks and the visiting crews would have been seen walking round the village with nowhere to go.

Jonathan Mayn, therefore, always a kind thoughtful man, built a chapel and rest room for them. In the rest room they could have a hot meal and a spell ashore whilst their vessels were being loaded. Services were held daily for anyone caring to attend. According to Lane's Guide to the Helford River (1890) the chapel was upstairs and the rest room downstairs. It was a sort of seamen's mission. This is Mayn Cottage, now considerably altered and today owned by Mr and Mrs Epps. As mentioned in the last chapter, a Date Plate inscribed " J J Mayn 1832" is on the centre of the frontage.

By 1840 there was a pub called "The Jolly Sailor", owned by the Mayns but with a tenant landlord. This, besides providing one of the other necessities for most seamen, included a skittle alley.

The old chapel as two cottages in 1920. Mrs Zoë Collings and cat on the steps.
The door on the far left led to an office used by Freeman & Co.
when they had the lease of the quay.

At this time, two brothers called Freeman of Millbank, Westminster, London, won contracts from the Government to supply granite for several projects, one of which was the new basin for steam vessels at Keyham in Plymouth. One brother (who happened to be blind) ran the business and stayed in London; the other travelled the country, placing orders and buying the granite for their contracts.

Being a shrewd but very fair business man, he soon realised that his best bet was to buy the local Cornish quarries and run them himself, so a lot of money was spent on this project, gradually acquiring the various properties. His only real competitor was Richard Hosken, a local man who already owned a number of quarries and also was the leaseholder of Port Navas Quay as well as a quay at Penryn. John Freeman obtained a quay near Penryn swing bridge and the two firms seemed to run side by side for about 20 years, but the nibbling went on and Freeman's gradually bought up most of the quarries, and presumably used Hosken's quay services as well as their own in Penryn for shipment of their stone.

John Freeman was a very popular man and a kind and considerate employer. He lived in a house near to the Fox family in Wood Lane, Falmouth, and when he retired in 1872, all his employees (about 600 men) marched from Penryn Station past his house to the Polytechnic Hall, headed by the Constantine Brass Band. They had dinner in the Hall and presented him with a silver cup suitably inscribed.

The story of the Freemans has been well documented by Peter Stanier in the Journal of the Trevithick Society, from which we have learnt about them. This article goes into great detail and is well worth further study.

The article lists the contracts which Freemans won and gives the tonnage of stone exported annually. Whilst some went from Port Navas, "the Lion's share" was shipped from Penryn. It is difficult to know the actual tonnages handled by Port Navas as these are not listed separately. There was however an enormous quantity of curbing and setts which are not listed, and many shipments of these were from Port Navas. An article in the "Western Daily Mercury" dated 1st June 1868 stated that three gangs of men were available at Penryn for loading ships and at Port Navas there were two. This could be a very rough indication of the proportion of the trade between the two ports.

On the 8th May 1856 the lease of the Quay was for sale again and a similar advertisement to the previous one 26 years before appeared in *The West Briton* of 8th August 1856. By then William Mayn was the landlord.

PARISH OF CONSTANTINE.

Wharf or Quay to Let, at Portnavas, and possession had at Michaelmas next.

TO be LET by TENDER, on such terms as may be agreed upon, all that extensive and convenient WHARF or QUAY, abutting the Helford River, situate at Portnavas, in the aforesaid parish of Constantine, now and for many years in the occupation of Mr. Richard Hosken, Granite Contractor, where a very heavy trade has been done with much success.

The Premises are so eligibly situated for the carrying on of large mercantile or granite trades, that it must be admitted by every competent judge to be the first and most desirable business premises that has been offered to the public to let in that immediate neighbourhood for many years.

Vessels of at least from 140 to 150 tons can lay alongside with all ease.

To view, apply to Mr. Wm. Mayne, the Proprietor, at Portnavas; and all other information may be had of Mr. CORFIELD, Auctioneer and General Agent, Penryn, To whom Tenders are to be sent on or before TUESDAY the 26th of August instant.

Dated August 6th, 1856.

This time the leasehold went to John Freeman, but Richard Hosken continued in the stone business and received some notoriety in due course. Whether he was on his own or was "taken over" by Freemans is difficult to tell.

About 1865 the lower quay at Port Navas was constructed, which saved the kedging and warping from the main creek and also meant that larger ships could be accommodated. This was probably the work and investment of Freemans rather than the Mayne family. It had a large crane on it and, of course, the road was extended from the higher quay to serve the new one.

Higher Quay in about 1910 - a detail from the photograph on page 2

At about this time also, they erected a covered workshop on the higher quay where the granite could be rough finished before shipment. Of course it became necessary to have a blacksmith's shop, and this was situated near the far end of the chapel where Mayn cottage garage is now. The higher quay by this time had two cranes on it, one a heavy one by the edge of the quay to serve the ships, and the other an overhead travelling crane to transport the granite around the yard. To accommodate this, a high wall was built between the lane and the quay, and on this ran a rail. The other rail was erected on a gantry which ran along parallel to the wall but much nearer to the edge of the quay. The crane moved along on these rails and was very manoeuvrable. The high wall still runs along the quay lane today.

At the point where the quay road joined the main highway was a gate with a little gatehouse or office. The granite posts are still there.

Between 1870 and 1880, a "Quay Master" was appointed, and he is shewn as Walter Humphrey in the 1881 census. A cottage was built for him on the Quay Road. It was the one until recently occupied by the Westlakes, called "Plumtree Cottage" because of the two plum trees climbing up the front of it.

The Quay Master's cottage, built about 1875

There was a quarry at Maen Toll which had an enormous rock called the "Tolmen Rock". This was the pride and joy of local people and visitors came from all over the country to see it. One morning, on Mr. Hosken's orders, it was blown up! Needless to say, a terrible furore broke out, but all he had to say was that it was dangerous so he had destroyed it. Questions were asked in Parliament, but nothing could be done as it had gone for ever.

As a result of this episode the Council for the Protection of Ancient Monuments was formed.

In 1877 *The Builder* published an article describing it as an act of Vandalism. On April 14th and May 26th Hosken's son William wrote to the paper and told the full story, saying that this antiquity had been offered some years previously to the archaeologists for a sum of £200, with free access, although this was but a tenth of its real value, but that they had declined. The quarry foreman, who had strict orders not to touch the rock, blasted by night the foundations, throwing down the mass, which he said was endangering his quarrymen and restricting operations!

Some of the notable contracts for which part or all of the granite came from the Constantine quarries were for:

Smeaton's Lighthouse	(1756)
Keyham Steam Basin	(1850)
Chatham Dockyard	(1857)
Woolwich Dockyard	(1851)
Ramsgate Harbour	
Barry Docks	
Nelson's Column	(1845)
London Bridge	(1836)
Tower Bridge	(1894)

The Eddystone (Smeaton's) Lighthouse was built in 1756 and Smeaton picked Constantine moorstone from the quarry at Treglidgewith as the most suitable for parts of this as it was of a particularly fine grain. This was of course long before the granite trade had gone into top gear and it necessitated these roughly shaped great moor stones being taken to Penryn for onward transmission by sea to the mason's yard at Plymouth for final finishing and fitting before being shipped out to the site on the Eddystone Rocks 12 miles south of Rame Head.

In or around the year 1890, Port Navas was described as having "granite wharves and quays of considerable size, with cranes and derricks for loading large blocks of granite from the Constantine Quarries. Immense numbers of these blocks are piled up to forty or fifty feet in height, waiting to be loaded into the two or three ketches, schooners or smacks moored under the cranes, or anchored in the stream." (Lane's Guide to the Helford River)

The last load of granite for the building of Tower Bridge left Port Navas in about 1894 and the mate of the vessel was the father of the Rendle family, who still live in Port Navas.

By the end of the nineteenth century, granite suppliers were beginning to default on their delivery dates because of the difficulties in producing the granite in great enough quantities for the tremendous demand and consequently prices had risen. At this point the Norwegians said that they could deliver granite 25% cheaper, on time and in any quantity!

Not only could they but they did, and it was catastrophic for the British granite industry. Demand dropped rapidly away and gradually the quarries began to close down. Efforts were made in Parliament to bolster the U.K. industry, by specifying home granite for some contracts, but it would not do and so today almost all the granite used here is imported. A few firms still continue dressing imported granite. Until recently (1993) Bosahan Quarry in Constantine carried an operation like this. The imported stone came from places as far away as Italy but because of various regulations it had to be shipped through Felixstowe as the nearest available port and had to be brought by road transport to Constantine.

At the turn of the century, Freeman and Co. withdrew their Port Navas operation and worked entirely from Penryn.

On Port Navas Quay, today, can be seen four scappled (partly dressed) granite blocks awaiting shipment. They never went, because Freemans had closed their business at Port Navas and gone to Penryn.

In 1936 Freemans took in another granite man as partner and became Freeman and McCleod. They finally closed down in 1953.

REFERENCES:

1. *Granite Quarrying in Cornwall* - Peter Stanier, Industrial Archaeology Review VII No.2, 1985
2. *John Freeman and the Cornish Granite Industry* - Peter Stanier, Journal of the Trevithick Society No.13, 1986
3. *Western Daily Mercury* 1 June 1868
4. *Royal Cornwall Gazette* 1 May 1830
5. *West Briton* 8 August 1856
6. *The Builder* 14 April and 26 May 1877
7. *The Red Rocks of Eddystone* - Fred Majdalaney, 1959

The Lower Quay. The two scappled blocks were never shipped. The modern Oyster Farm can be seen in the background.

The Evolution of the Coastal Trader
Sketches by M.J.S.

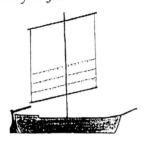

Simple square lugsail - 13th century

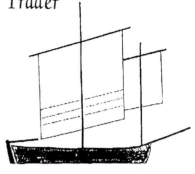

A larger vessel with twin lugsails -
17th century

Two fore and aft sails, a "Shallop" -
18th century

Sprit sail barge - early 18th century

Simple fore and aft rig - mid
18th century

The Coastal Schooner with square sail
on the foremast - mid 19th century

CHAPTER FOUR

The Coastal Schooners

In the days before reasonable roads were built and centuries before the advent of railways, Britain used a system of sea transport. Goods were despatched to the nearest port by cart or even in the early days by pack horse. If there was a navigable river they would be sent down to the port possibly by barge from the most convenient place.

At the port, a shipper would negotiate with a vessel prepared to carry the load to the port nearest to the final destination, probably leaving the consignee to arrange the delivery stage from the arrival port to where the goods were required.

Vessels used for this work had been developed over the centuries. First, in the thirteenth century they used a simple square sail, really a sort of "dipping lug". As vessels became larger, they used two masts each with one of these sails, but of course these required quite large crews to handle them.

Gradually towards the middle of the eighteenth century, the "fore and aft" rig was introduced, requiring much smaller crews and making the vessels more manoeuvrable and economical to run. They were for the most part cutters and ketches. These were soon replaced by "smacks", that is vessels with one mast, gaff rigged and with a loose footed mainsail. By the nineteenth century they were using ships called "schooners". This term is said to come from the Scottish verb *to scon* or *scoon*, meaning to skim over the water like a flat stone.

Essentially a schooner has two or more masts, the main being taller than the fore, with fore and aft rigs on each, the sails being on booms and gaffs. By the mid nineteenth century they mostly carried one, two or even three square sails on spars on the foremast as well.

There were, in general, three main types of vessel used in the British coastal trade, but these were by no means hard divisions, for many odd types of vessel were also in use:

    1. Topsail schooners   (Square sails on top of foremast)

    2. Fore and aft schooners

3. Simple ketches and smacks.

The reader who would learn more of the development of sailing ships, we would refer to the books we list at the end of this chapter.

These ships were mostly crewed by a skipper, one or two men and a boy. The vessels varied in size and would carry from twenty to perhaps as much as 200 tons of cargo. Usually the skipper either owned the vessel or had shares in her.

From 1823 the ownership of vessels was divided into sixty-four shares, each joint owner being allocated a number of shares in proportion to the amount of money he had invested. One of the shareholders had to be elected "Managing Owner" and he was responsible to the others for the management of the ship.

It is thought that this division into sixty-fourths developed from the system laid down in the Cruisers Act of 1708 whereby "Prize Money" for the value of enemy vessels captured during war was divided into eighths (i.e. 3/8 for the Captain, 1/8 to the C. in C., 1/8 to the Officers, 1/8 for the Warrant Officers and 2/8 to the Crew).

The crews of Coastal Schooners were responsible for their own victualling and cooking. They were paid at the end of the voyage to discourage desertion but if they were away on a long trip, they might get a small "advance" from the skipper to enable them to go ashore.

Voyages might last several months, tramping cargoes around the coasts from port to port, before managing to get one which took them back home. The sorts of cargoes these little ships carried were coal, stone, corn, chalk for lime burning, manufactured goods, steel, timber and ore all in bulk. The skipper would negotiate with local agents and he was responsible for getting the cargoes and keeping the business going. Most of the larger ports had a shipping agent's office, where they could find out what cargoes were available.

Usually these vessels would lay up in their home ports from mid December to March, to miss the worst of the winter gales and appalling weather with poor visibility. Even in the twentieth century, few of these ships carried auxiliary engines. Up to the end of sail many continued without any engines at all. In the early days, very few were insured. They had no weather forecasts except from their own experience, nor were there such things as radar or " Navsat " to give them an immediate position. The risks in these winter months were too great for the owners to contemplate, for the sake of their ships rather than the crews.

Winter months were used as a time of relaxation and for refurbishing worn rigging and sails, repairing damaged timbers, recaulking and retarring. All vessels were tarred both on the bottoms and topsides. Varnished rails and paint were reserved for the accommodation areas only.

One has to remember that the crews worked 24 hours a day when on passage, and in port they were engaged in loading and unloading from the time they arrived, with only a short spell ashore in the evening or whilst the skipper was finding a cargo.

A coastal skipper's ticket covered him for coastal work and for the Channel Ports from Holland to Brest. If the destination was outside these areas, they carried a deep-sea skipper for the trip.

We think that one of the best ways to understand the life of these coastal men is to tell the story of one of them, whose home port was this very village. Captain Sydney Bate was married to a Port Navas girl, the daughter of Captain Bunt, who lived and sailed from here in the mid nineteenth century. Sydney was the younger brother of Captain Steven Bate of Port Navas, who lived next door to the Rendle family in the village. This latter family have lived in Port Navas since the 1850s (in the same cottage after it was built c.1865) and have in their possession a transcript of Sydney recounting his memoirs. This they have been kind enough to let us use because of its importance to this history.

The Bate brothers were born in Port Isaac - Sydney on 8th October 1857, and when he was six weeks old, the family moved to Padstow for a few weeks then over to Rock on the other side of the Camel Estuary. Their father was a Master Mariner.

Sydney was sent to a Dame's school when very young, but a year later he left and had to walk two miles a day, each way, to another school at Tredriggic (*sic* - possibly Tredrizzick?), near St. Minver.

Living on the North Cornish Coast, he became very used to terrible weather and when he was but a child he saw several shipwrecks occur on nearby Doom Bar, and on one occasion he and some other boys were guilty of "wrecking" by taking home some casks of sugar, which had come ashore from a wreck. Bodies would often be washed up and had to be collected for burial.

When he was about twelve he went to the Grammar School at Wadebridge, which he left about two years later. His father was skipper of the fore-and-aft-rigged ship "Pet".

Sydney of course, despite his earlier experiences of the sea, decided to become a mariner and initially joined his father's ship. When his father retired, he joined the schooner "Trebiskin" as cook. His elder brother William was the master of this latter vessel. He stayed with him, and worked his way up to being an A.B., then from A.B. to Master. He was eventually offered command of his father's old vessel the "Pet", which had meanwhile been lengthened and the tonnage increased from 45 to 59 tons.

He stayed with her for some months and then as mate, joined another older brother, Capt. Steven Bate, who had command of the schooner

"Leurier". We cannot find any record of this vessel and think this may be a journalistic error. (We have found one called the "Lutha of Padstow" which would fit.)

Whilst in London River, Steven became ill and was taken to hospital at Rochester, suffering from Rheumatic Fever. Sydney brought the ship back to Falmouth and stayed in command of her for six months until his brother was fit enough to take over again. Three or four months after this, Sydney left the ship to marry Miss Janie Bunt of Port Navas.

Following his marriage, he took command of one of the ships belonging to Captain Bunt, his father in law. This was the ketch-rigged "Water Lily", in which he had a 1/16th share. She was a vessel of 62.49 tons, built by Ben Blamey at Falmouth in 1863. She was sold to Captain Bunt by the Blameys in 1871. From this point, let him tell us his story in his own words.

Our first voyage was from Port Navas to Dublin with granite. We made a fast passage, unloaded, took in ballast and sailed for Garston where we arrived the following afternoon. Here we loaded coal for Capt. Bunt my father in law, who had a coal business in Port Navas, where we exchanged it for a load of kerb stones for London. Here we took on dog biscuits for Bristol, but were obliged to put into Padstow on the way - weatherbound. Eventually we got away and reached Bristol without mishap. From there to Newport to pick up coal for Port Navas.

We had a rough passage especially round Land's End, but after taking shelter in Penzance for several days we reached home safely.

It being winter, we stopped running for a couple of months, when we again fitted out and took a cargo of granite coping to Newcastle. We had a record voyage, leaving Port Navas on Thursday, and were back in three weeks, despite being caught in a gale of wind and having to shelter in Harwich Harbour for several days.

Going North through Yarmouth Roads we encountered the impressive sight of four to five hundred sailing ships, which had been taking shelter, setting sail again after the storm. About thirty miles north of here, the wind shifted from Sou'west to Nor'west and began to blow very hard. Very soon most of the ships started to turn back to the roads again, being in ballast and unable to make any headway when the wind shifted.

We had a very rough night, but the next morning the wind veered to the Sou'west and we had a good trip to Newcastle. We discharged next day, took on a cargo of coal and sailed in three days for Port Navas. We had a fine fair Northerly wind and on getting outside the Bar, we set our square sail and carried the fair wind all the way to the Dodman. It was a lovely fast passage and we reached Port Navas exactly a week from the time we had arrived at Newcastle.

We did the whole round trip of 1200 miles, despite our setbacks, including discharging and loading, in exactly three weeks.

Having discharged our coal at Port Navas, we took on kerb for London, and from there we loaded cement for Gloucester. I called in home on the way round, and took Janie, my wife, on board for a trip to Gloucester. She greatly enjoyed going up the Gloucester Canal. There is a magnificent Cathedral of which we had a bird's eye view of the outside from the ship, and crossed the Severn to Lydney, Monmouthshire. Here we loaded coal for Port Navas.

Reaching home safely, we discharged part of the cargo on Helford Beach for my wife's uncle Capt. T. Bunt, taking the remainder home to Port Navas.

We next loaded granite for Maryport and having discharged, loaded pig iron for Pembrey, close to Llanelly. We experienced a very heavy gale on our passage to this place, which carried away our main-gaff. We fixed the gaff and set a close reefed mainsail, but in running over Llanelly Bar our gaff topsail sheet got fouled in the end of the gaff, so I ran up the rigging, slid out on the peak halyards and cleared the sheet. The pilot was at the tiller. My word! It was a risky bit of work for had the vessel gybed I would have been flung into the sea. There was a heavy sea running at the time but sailors do not consider risks when an emergency situation arises.

When we got in we discharged and reloaded with coal for Messrs. Freeman and Sons of Penryn. We had a nice passage home and then loaded granite coping for London. This we discharged at Putney Bridge but to get there we had to unstep two of our masts and lay them on the deck, so that we could be towed up under the London bridges by a small tug. Afterwards we were towed to Hay's wharf where with the aid of a crane we restepped our masts. We towed down to Northfleet, near Gravesend, where we took in a cargo of cement, and at the lower reach of Gravesend we took in 40 tons of Powder for Dublin. We had a rather rough voyage there for we were caught in a south easterly gale in St. George's Channel. We arrived all well, discharged and proceeded to Garston, Liverpool, in ballast, where we took on coal for Port Navas.

I am speaking now of the year 1881, and when we arrived at Garston we found that the 'Queen of the Chase' with my father in law Capt. William Bunt in command, had just arrived from London with a cargo of ore. We loaded our coal for home and sailed some days before 'Queen of the Chase' which was also taking on coal for Merthen Hole in the Helford River. We reached home safely.

About a fortnight later, I handed over 'Water Lily' to the mate, who had been on the ship a long time. I then took command of 'Queen of the Chase'.

She was built in Falmouth by James Mayn for Pope and Co., and lengthened in 1862 to 98.02 tons. The Popes ran fast fruit ships as well as other cargoes and she had been in both the Mediterranean and also the Newfoundland trades. Captain Bunt of Port Navas bought her between 1886 and 1890.

"Queen of the Chase" (the outer ship, heeled over) at Runcorn

We loaded kerbing at the lower quay, Port Navas, for Dover. The wind was blowing hard from the East and so we waited a few days till it changed to South West and I made up my mind to sail. It was in the afternoon and my wife had read in the papers, that a gale was predicted from America to sweep across the Atlantic, so she did not want me to set off. I had made up my mind to do so and we left Helford on the Thursday afternoon in the latter part of September. The next day about 5 p.m. we were caught in the predicted gale off St. Catherine's Point, Isle of Wight.

The gale struck us all of a sudden. We were running with single reefed sails, when without any warning the wind veered North and struck the ship with great force carrying away the jibboom, boom, jib

44

and all the gear attached, which all fell into the sea. The main sheet carried away and the main boom swung out and hit the after shroud of the main rigging. I immediately put her head to wind and lay to, urging the crew to cut the wreckage adrift before the jibboom could knock a hole in our bow.

Whilst we were in this predicament, a large steamer proceeding down Channel, altered course and came close to us. The Captain, through a megaphone, asked if we required any help. I replied, that so far we were in no danger as our vessel was not making any water. I thanked him for approaching so closely to find out if we needed assistance.

After a couple of hours, we got the wreckage free and keeping the 'Queen of the Chase' hove to, we had our tea, which included a blackberry pie, which my wife had made for us to take to sea.

We remained hove to till midnight, when the gale moderated somewhat. I then sailed her under close reefed canvas to Dover, which we reached on Sunday without further trouble.

At Dover we loaded cement for somewhere on the Medway and then sailed for Liverpool again with a further cargo of cement. When we were off Newhaven in Sussex, the ship was caught in another very heavy Nor'westerly gale and we had to run to Dungeness roads for shelter. At midnight the wind backed and blew strongly from the South'ard and before long it veered and blew hurricane force from W.S.W.

Both cables were out to their full extent and we had them shackled to the mast. A Dutch pilot boat was blown clean out of the roads. The next morning I beheld a vessel completely disabled, sails blown away being driven helplessly before the gale. After a couple of days, the wind subsided enough for us to resume our passage westward. We put into Portland for the night.

We left the next day, but after a few hours the wind blew very hard from the East and as she was making water, we decided to put into Falmouth for repairs. She was beached on Boyer's Cellars and the shipwright found that she needed some caulking. We left the next day and reached Land's End. Thirty-six hours later we reached Liverpool and discharged the cement.

Describing another occasion on which he had had to cope with mountainous seas and a shifting cargo, he tells how they managed at last to reach the entrance to Port Navas creek where his father in law was just hauling his nets with a load of herring. Capt. Bunt said he was most surprised to see them as he had given them up for lost. "Queen of the

Chase" was the only vessel out of nearly three hundred which had reached her destination. All the rest had either taken shelter, put in for repairs or been lost. "My wife was agreeably surprised to see me," he said. She had been asking her father where he thought they had gone.

He told the story of how once on a course for Queenstown, Ireland, he was called hastily on deck to find a large barque coming straight for them. As he took avoiding action she followed him, so, suspecting the officers were at dinner leaving an apprentice in charge, he fired a gun. Immediately an officer appeared on deck, took the necessary evasive action and knocked the apprentice to the deck.

At this time Captain Bate had his wife and eldest son (aged 6 weeks) on board. This incident and some subsequent rough weather upset them and they were sea sick.

Another time, the "Queen of the Chase" and the "Howard" (Capt. William Rendle), another Port Navas based ship, loaded salt together at Penryn for Newlyn. They unloaded there together and both took on broken stone for Cardiff, sailing in company. "The Queen" arrived in the morning and the "Howard" in the evening. They docked in the West Docks together unloaded and both took on coal for Helford. "The Queen", for some reason, was able to sail a couple of days before the "Howard" and got home for

The "Howard" as drawn by Albert Rendle, grandson of the owner

"Lady of Avenel" loading granite on Higher Quay, about 1875

Christmas before bad weather set in. The "Howard" was weatherbound for a fortnight and did not get back to Port Navas till the end of the first week of January.

Such was the life that these men lived. The ones we have talked about so far lived in Port Navas, it being their home port, but many other ships used to come here, discharging cargoes and taking away granite. It was indeed the "busy little port" described by Lane in his Tourist Guide. The usual cargoes brought in were of coal or chalk and limestone, the latter being burned in the limekiln on the quay. This kiln was owned by the Mayns, who sold the product for building and agricultural purposes.

At the height of the granite trade, about eight to fifteen vessels a fortnight loaded at Port Navas. It could not be used for other than very shallow-draughted vessels during the "dead of the Neaps".

The village was always full of seafaring men, who came and went. They must have been very grateful to the Mayns for the facilities of the chapel and rest rooms where they could always get a hot meal and a yarn ashore. Most of them were deeply religious men and of the Wesleyan persuasion. This is reflected in the name they gave the stretch of water just inside the creek, which was always calm and sheltered - Abraham's Bosom.

Some married here, others retired here. At one time there were at least six ship captains living here: Captain William Rendle, Captain Bunt, Captain Pascoe, Captain Collings, Captains Steve and Sydney Bates.

The ships that we know were based here were:
"Howard"
"Water Lily"
"Queen of the Chase"
"Millie" (probably a small ketch)
"Guiding Star"

For details of these vessels see the appendix , "Merchant Sailing Ships".
Six that we know visited here regularly were:
"Shamrock" (now at Cotehele)
"Fanny Crossfield"
"Pet"
"Leurier" (See the appendix.)
"Result"
"Lady of Avenel" (151 tons)

The "Guiding Star" was skippered by Captain Collings and sailed throughout the first World War by him. During this period, she carried two guns and their crews. He retired when the war ended and Capt. Keats of Port Isaac took over. During the winter months, she still continued to be laid up here. She was always moored stern-on to the higher quay, lying in front of the old Chapel where Tom Collings lived and could keep an eye on

Captain Steven Bate in retirement

her for him. It was a sign of early spring when Capt. Keats and his wife arrived from Port Isaac and started to get her ready for the season.

Another story is told of a local girl called Annie, whose mother, before marrying, had been in service at Ponsaverran. This girl fell in love with one of the visiting sailors, Phillip, who came from Clovelly. They married and lived in this village. She had a girl and later a boy. Life was hard for Annie, because when Phillip, after his long voyages, came ashore he would draw his pay, and spend all his time and money at the "Jolly Sailor". On coming home when it closed, he would beat his family up, finally going back to sea, leaving his poor wife without a penny and with debts to pay. This went on for some years, during which time her mother died, and so she also had to care for her father and brother, who lived nearby.

It eventually proved too much for her, and on November 1st 1881 she hanged herself in the stable, having left her children with another brother, who was a local farmer.

The boy, also Phillip, when he was twelve went to work as a "boots" in a hotel in Falmouth. In the 1891 census he is shewn as a domestic servant, working for Mrs. Rail of Lower Calamansack. Next he joined a ship at Port Navas and went coasting. The girl when she was old enough was sent into "service" up country, and there is no record of her being heard of again.

One day when young Phillip's ship arrived at Deptford, he was met by a clerk from the office, who brought a telegram to say that the second life on which his leasehold old home had been secured was dead and the house was now his. "I never want to see Port Navas again," he said. " It was the scene of too much misery for me. I shall not go back ever again but will join the Metropolitan Police."

This he did and was stationed at Chatham Dockyard. (The dockyards all came under the "Met.") He married and had two children. Many years later, his daughter tried to bring him here for a visit, but he refused to come further than Falmouth. He stayed there in the hotel whilst they came on. His son had emigrated to Canada in 1928, and sixty years later he came over here to the village to see where his forebears had come from. He has since died but apparently was so very glad to have made the visit and to learn this portion of his family history.

Records of the ships that served Port Navas are scanty, but we know of the "Howard", mentioned above, which was owned by the Rendles and skippered by Capt. William Rendle. It is told that once in a storm off Land's End, the vessel was struck by lightning, as a result of which Capt. Rendle was blinded, putting an end to his career as a mariner. He came ashore and lived in the village for many years.

Life here was as it is everywhere else: some happiness and some misery. For most people it was a mixture of both. It must have been a wonderful place to be in then, with so much going on but in such a delightfully slow and very tranquil atmosphere, broken only by the sound of the granite carts rumbling down the hill, with their "drags" grating and rumbling under the wheels and the jingle of the horses' harness, seamen with their rolling gait sauntering up to the "Jolly Sailor" for a well-earned pint, and all the time the agricultural life going on in the surrounding farms.

REFERENCES:

1. *The Coastal Trade* - Basil Greenhill C.M.G.
2. *The Merchant Schooners* - Basil Greenhill C.M.G.
3. *Oxford Companion to Ships and the Sea* - edited by Peter Kemp
4. *West Country Coasting Ketches* - W.J.Slade and Basil Greenhill
5. Royal Institution of Cornwall (Capt. George Hogg's database of Cornish-built ships)
6. Ship registers of the various ports (C.R.O. Truro and Milford Haven. H.M.Customs and Excise, Plymouth)
7. Register and Directory of the Mercantile Marine (Falmouth Library)
8. Crew lists and logs of Falmouth ships (C.R.O. Truro)

CHAPTER FIVE

Chapel and Church

The Cove folk had been served for centuries by the Parish Church in Constantine, for although there had been a small private chapel attached to Budock Vean in mediaeval times, its date is uncertain and because it was a private chapel it is unlikely that it had ever played any part in the religious life of the people on this side of the creek.

In 1738 John Wesley, who had been educated at Charterhouse and Christ Church College Oxford, was ordained an Anglican priest. Later he was elected a Fellow of Lincoln College, Oxford. After some years of meditation, he was converted and began to preach a more fundamental belief, which he hoped in vain would be accepted and adopted in the Church of England. When his young brother Charles and friends began to discuss it at the same College, the other undergraduates nicknamed it "Methodism".

John went round the country preaching his new understanding and in fact visited Falmouth in 1745, when he was nearly killed by the mob. He explained his teaching and was soon accepted by the Cornish, and subsequently revisited the town on at least four other occasions. A local "society" (as they called their regular meetings) was formed and the seed grew.

In a few years some of the members of these Societies broke away, because they felt that the so-called "Wesleyan Methodists" had lost the fire and evangelism taught originally by John Wesley. They called themselves "Primitive Methodists", because they preached in fields and rough places.

Now at this time, although we enjoyed complete freedom of thought on religious matters, it was the law that any dissenting sects wishing to have their own chapel had to obtain a licence from the Arch-deacon for, nominally at least, nonconformists were still under the pastoral care of the Established Church.

From the records of the Archdeacon of Cornwall we find that between 1812 and 1821 there was a Methodist meeting house in Constantine.

Round about 1816, a young Cornish Methodist preacher from near Launceston named William O'Bryan started travelling the West Country and preaching with evangelical zeal, in the open air, in barns and in farm kitchens, the message which John Wesley had started. He urged them to form village classes and eventually there were Bryanite meetings all over the county, often held in people's homes. Later his teaching extended over the South of England, and up to the Midlands.

From the Archdeacon's records, we find that a licence was granted to William Reed on 13th May 1824 in Constenton *(sic)* church town to use a building occupied by Benjamin Pascoe, a farmer at Nanjarrow, as a meeting house for the Bryanites.

On April 6th 1826 a licence was granted to John Daniel for a new building in Treglidgewith as a meeting house (sect not stated). This must have been the Bryanite chapel built in Treglidgwith Lane at Ponjeravah. The gateway still remains in the wall bordering Mr and Mrs Tucker's property. This chapel must have replaced Pascoe's barn of 1824.

In due time, the Bryanites changed their name to "The Bible Christians". Ponjeravah Chapel probably remained in use until the new Chapel was built in Fore Street, Constantine, in 1880 or even until 1907 when the Bryanites joined the Wesleyans.

In 1842, a Richard Sedwell was granted a licence for a second Bryanite Chapel in a building occupied by Thomas Caddy, a farmer at Seworgan, in the Parish of Constantine. This one was the second in the parish and gives an indication of their strength within the community.

James Clemens was granted a licence for "a new erected Wesleyan Methodist chapel in Constantine" on 22nd May 1843. The tithe schedules of 1842 shew plot no. 2270 in Constantine Church Town being owned by Sir Richard Vyvyan and leased to "The Methodist Society". The map is mildewed in this area and, sadly, it is not possible to pinpoint the site.

In 1907, the Bible Christians united with some other breakaway groups to become the "United Methodist Church" and possibly these chapels continued until then. In 1929, by Act of Parliament, the Wesleyan Methodists, United Methodists and Primitive Methodists were united to form "The Methodist Church", the actual Union being carried out at a conference in 1932.

It is interesting that with nonconformists the urge to form splinter groups was much greater than in the Established Church. This was of course only natural for they had left the Church and its discipline to exercise complete freedom to think and worship as they felt guided.

The nonconformists of this village would have attended the Bryanite Chapel at Ponjeravah, but when Port Navas began to grow there was agitation for a place of worship in Port Navas itself. One suspects that because the majority of the people were non-conformist and some of the Mayne family had leanings that way themselves, William Mayne allowed the villagers to use the new seamen's chapel, and their Bryanite meetings were held there, certainly from the late 1840s onwards.

Methodist Records shew that the numbers of full members in Cove were:

1851	.... 6 members
1856	.... 11 do.
1874	.... 19 do.
1906	.... 27 do.

In 1868, services were held in the Seamen's Chapel at 11 a.m. and 5 p.m. on Sundays and at 7 p.m. on Wednesdays.

In 1878 the Helston circuit report stated, "At Cove, society and congregation have quite outgrown the place". (This presumably refers to the Seamen's Chapel.)

In 1893, *The Bible Christian Magazine* July edition on page 438, under the heading "Our Work at Home", said:

COVE. Cove is a pretty little village in the Parish of Constantine. We have held services in this place for more than forty years, in an inconvenient upper room. There is no other place of worship, church or chapel, nearer than about two miles. There have been various attempts to secure land to build a Chapel, but all attempts have failed until recently.

We have now secured a site from Lord Clinton on a lease of 99 years. We laid the foundation stones on Friday June 2nd. The stones were laid by Mrs J. Harvey of Lowertown, Helston, and Mr S. Tripp of Keverne. The service in the afternoon was conducted by the Rev. E. Rhodes (Wesleyan) and the pastor of the circuit. A goodly number from the surrounding neighbourhood were present.

A well attended tea meeting took place in a tent close by. The public meeting at night was held in the same place. Mr. Boaden presided. Suitable addresses were given by Messrs. Rhodes, Tripp, Quance and Balkwill.

The Chapel is intended to seat Ninety persons. Many of the other churches have shewn true interest in the effort and among the rest the Rev. Mr Mayne, a kind hearted clergyman of the neighbourhood. He has given £5 and the stones for the building. Thus far we have obtained about £70 in cash and reliable promises.

The ground rent for the land was to be one shilling per year, payable to Lord Clinton. In 1919, when the Trefusis estate sold off their Treviades lands, Inow was bought by Mr. William Rowe (son of one of the trustees, Mr. James Rowe of Mawnan) to whom the ground rent became payable. This is shewn in the Treasurer's accounts of that year. The earlier account books are missing.

Port Navas Chapel shortly after it opened

The building was mostly done by voluntary labour and in 1894, the Midsummer Quarterly Meeting report announced:

> ... the New Chapel at Cove has been opened under encouraging circumstances. The cost of the building including new lamps and labour is about £185, towards which by collecting books, profit of foundation stone laying and opening services, £131 has been raised.

(N.B. Even in 1893 it was still being referred to as Cove!)

They were very lucky, in that the new piece of land had an old building, close to the road, which was quickly and easily turned into a stable and house for the pony and trap of the visiting minister.

The previous quarter it had been announced that the following Trustees had been appointed for the New Chapel:

William Rashleigh (Constantine) Farmer

John Downing Farmer

Stephen Bate (Capt.)   Fisherman
John Ould   Fisherman
James Henry Ould   Farmer
Charles Rendle (Capt.)   Retired
Joseph Rowe (Mawnan)   Farmer
John Henry Moyle (Mawnan)   Labourer
John Tremayne (Constantine)   Farmer.

The new Chapel was opened on Good Friday March 23rd 1894. The sermon was preached by the Rev. J. Stevens and a large number sat down to tea in a tent in a nearby field, presided over by Alderman J. Boaden of Mawgan.

In the evening, a service was held and addressed by the Chairman, Bro. Stevens and T. Spillet. The Constantine Wesley Choir was in attendance and led the singing. The Chapel was full in the afternoon and in the evening was so crowded that many could not obtain admission.

The accounts and minutes of the quarterly meetings make some interesting comments on the changes wrought by the years. Expenses for oil, wicks and chimneys in 1894 came to £2.0.2. In 1910 1 cwt of coal for heating cost 1s/2d.   The annual cleaner's wages the same year came to £1.13.4, and a halter for the stable cost 6d.

At one time there was serious consideration of a plan to demolish the stable. Happily this was not adopted.

In 1910 postage and fire insurance cost 2/2d. In 1954 the fire cover was assessed at £1,000; by 1983 it had increased to £27,000.

On another occasion, dry rot was discovered under the floor and a big effort was made to raise the money to deal with this. The members and their friends did it in a very short while, demonstrating the feeling for the chapel in the village.

It has now continued for a hundred years. One of the notable events in its history was the planting of a rhododendron bush on 4th December 1969, to celebrate the 100th birthday of John Stamford Warren, who had helped to build and carry stone for the chapel's construction in 1893.

In 1992, the chapel was able to purchase the freehold of the land it had rented for so long and the money was subscribed by the members and friends from the village.

The people of the Established Church and the Nonconformists in Constantine and Port Navas work together side by side; there is never any acrimony. The ministers sometimes take part in each other's services and there seems to be a really Ecumenical spirit within the community. Because transport is easier today the proportions of people attending are probably equally divided between the two Churches, whereas in the nineteenth century most of Port Navas attended the nearer chapel which is still much loved and respected by the village. Although there is less regular churchgoing today, Port Navas Chapel is crowded on the various annual festivals.

REFERENCES:

1. Information supplied from Local Chapel Records by the kindness of W. Laity Esq.
2. *The People called Methodists in Falmouth* - Falmouth Central Methodist Church
3. *John Wesley, His Life and His Work* - The Rev. Matthew le Lièvre
4. *The Bible Christian*, Jubilee Volume 1865
5. *A History of the Parish of Constantine* - Charles Henderson
6. Various Directories in the Cornish Studies Library - Redruth
7. Tithe Map (1842) and Schedules - Royal Institution of Cornwall and P.R.O. (Kew)
8. *The Life of John Wesley* - Edith Kenyon

Port Navas Methodist Chapel today. The old stable can be seen in the foreground.

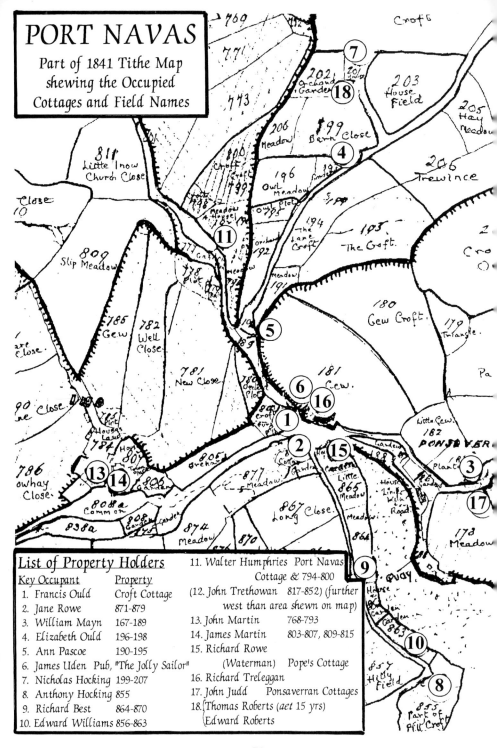

PORT NAVAS

Part of 1841 Tithe Map
shewing the Occupied
Cottages and Field Names

List of Property Holders

Key Occupant   Property

1. Francis Ould   Croft Cottage
2. Jane Rowe   871-879
3. William Mayn   167-189
4. Elizabeth Ould   196-198
5. Ann Pascoe   190-195
6. James Uden   Pub, "The Jolly Sailor"
7. Nicholas Hocking   199-207
8. Anthony Hocking   855
9. Richard Best   864-870
10. Edward Williams 856-863

11. Walter Humphries   Port Navas
      Cottage & 794-800
(12. John Trethowan   817-852) (further
     west than area shewn on map)
13. John Martin   768-793
14. James Martin   803-807, 809-815
15. Richard Rowe
    (Waterman)   Pope's Cottage
16. Richard Treleggan
17. John Judd   Ponsaverran Cottages
18. Thomas Roberts (aet 15 yrs)
    Edward Roberts

CHAPTER SIX

Pubs and Mines

Until the middle years of the nineteenth century, the nearest pubs to the village were in either Mawnan Smith or Constantine. There was a "kiddleywink", which is a Cornish term for a beer house, at Polwheveral. Considering that any of these options entailed quite a long walk, our inhabitants were denied what one might call "one of the basics of life"!

Thus about 1835 (search as we have, the actual date still eludes us), the Maynes decided to provide the facilities and lease them to a "Tenant Landlord". The building they erected was in the centre of the village and is now a private house called Chestnut Cottage. It is built on to two other much older cottages and has a magnificent slate-hung front. The side

Port Navas in 1922. The old "Jolly Sailor" is in the centre of the picture.

59

butting on to the road is painted, but it used to be whitewashed and until about 1960, when modern wall paint was employed, the name "Jolly Sailor" could be read very faintly on the wall, in wet weather.

It is possible that someone in the two cottages had sold beer as in a "kiddleywink" and that the new extension was as a result of the success of their enterprise. We can easily trace the landlords in each decade, by consulting the census returns.

We have made a map of the village at about this time, based on the 1841 census returns and the 1842 Tithe Map Schedules, shewing all the occupied dwellings and giving the names of the householders. We have also added the field names. Part of this map is reproduced on page 58.

The 1841 census shewed for the "Jolly Sailor":

James Uden	Publican	aged 35 yrs
Maria do.	Wife	aged 35 yrs
Elizabeth Rowe	Female Servant	aged 25 yrs.

Ten years later in 1851, the Udens were still living in the village but James is then described as "Master of a vessel of 36 tons". For the "Jolly Sailor" the census recorded:

Edward Kempthorne	Innkeeper	aged 28 yrs
Elizabeth do.	Wife	aged 36 yrs
Mary Simons	Widow, Charwoman	aged 34 yrs.

In "The Royal Cornwall Gazette" of 1st February 1850 it was announced that the Kempthornes had had the gift of a son. He should have appeared in the census return, but is omitted. Perhaps he was staying with grandma for the night.

In "The West Briton", 25th March 1855, Edward Kempthorne, "landlord now and for many years", advertised the lease of the property. Obviously the place changed hands, for in 1861 the census entry read:

Nicholas Hocken	Innkeeper	aged 58 yrs
Patience do.	Wife	aged 56 yrs
Phillipa do.	Dghtr.	aged 22 yrs
Elizabeth do.	do.	aged 20 yrs
Ellen Sophia do.	do.	aged 14 yrs.

By 1871, it had changed hands again; William Thomas and family were the new occupants. In 1881 and 1891 the landlord was shewn as John Tremayne, who was a horse dealer and breaker living in the cottage across the road, now called Croft Cottage.

So the "Jolly Sailor" had a number of landlords over the years. They brewed their own beer and also had a skittle alley in the garden. They must have had a good trade but they had their problems.

Every Good Friday the local tradition of "Trigging" for Cockles took place and the participation caused a large influx of visitors, who finished up at the pub. These included many miners from Wendron (possibly from what is now called Poldark Mine). When the liquor began to take effect, things got rough and there were fights between the villagers, visiting mariners and the foreigners from Wendron. These fights occurred every year and on the final occasion there was a riot and much damage was done. This event had been preceded a few years earlier by the suicide of the girl whose seaman husband spent all his time and money in the pub while ashore, leaving her with no money when he went off to sea again. This had shocked the village profoundly. Enough was enough. The result was that the Maynes closed the place down.

Some years later around the turn of the century, it reopened as a Temperance Hotel and was run by the retired Capt. Steven Bates and his wife Euphemia. This was almost the beginning of the tourist industry in Port Navas, for the railways had introduced easy travel and the custom had grown for people to take holidays even as far away as Cornwall.

More than half a century later, in 1956, a club with a small bar was opened on the higher quay and despite its ups and downs it has taken its place as part of the Port Navas scene. Today it enjoys a strictly club membership for locals and short-term membership for holidaymakers. Genuine visiting yachtsmen always receive a ready welcome. It has become an asset to the village, being run in a friendly but orderly way and strictly for members and visiting yachtsmen only.

The site of Brogden Mine

MINING

There were two mines in the village and another about fifty yards over the border with Mawnan, and as this was worked mostly by Port Navas men it should be mentioned.

The first was called The Brogden Mine. It was situated at the top of Port Navas hill close to Calamansack gate, in a field called "Merry Meeting". Close to the signpost and bordering the road is a copse, which covers the actual site. It was sometimes referred to as Inow Mine because it is on Inow Land. There were three shafts, which descended to the 32 fathom level. It was an iron mine. According to *The Metalliferous Mining Region of South West England* by H. G. Dines, the ore had about 50% metal content and in 1873 alone the mine sold 2000 tons of ore. It seems to have started operating around 1870 and closed as far as one can make out c.1876.

The census for 1871 shews several "iron miners" living in Port Navas, one of whom was William Thomas, eldest son of the landlord of the "Jolly Sailor".

The second mine was Anna Maria, situated at the head of the creek on Budock Vean land. It was named after Anna Maria Pender, wife of the owner of Budock Vean. The lode was stated to contain silver and bournonite in addition to copper. It was worked from 1833-5 and yielded 119 tons of copper ore which fetched £792. Owing to disagreement among the adventurers, however, it was offered for sale in September 1835, when it was described as a mine in its infancy. The real trouble seems to have been its situation close to high tide mark and ineffectual pumping.

It was reopened in 1860 and seemed to operate in a desultory way till around the turn of the century, when despite very favourable assay results the water problem became too great, needing tremendous pumps and massive shoring to make the project sustainable. It was said that they had to cope with water at the rate of 3,000 gallons per minute.

The third mine was situated in Bosaneth Lane about 100 yards short of Roskellan and was called Wheal Bosaneth. The "West Briton" of 20th May 1836 tells of some workings found of this mine near to Penpol, so it must have been in operation much earlier than this but we can find no mention in Dines' book of either the date or content.

REFERENCES:

1. Kelly's, Harrod's and Post Office Directories of Cornwall
2. *Old Cornish Inns* - H.L.Douch (Private Communication of Notes)
3. Census returns 1841 - 1891; Tithe map and Schedules of 1842
4. *The Metalliferous Mining Region of South West England* - H.G. Dines
5. *Mines and Miners of Cornwall*, Part 13, pp 31-2 - A. K. Hamilton Jenkin

CHAPTER SEVEN

The Oyster Fishery

The edible oyster, *Ostrea Edulis*, used to be indigenous to the creeks and estuaries of Southern Britain and Ireland but owing to pollution, parasites, predators and over-fishing by our forebears, it has died out except in a few locations. Oyster shells have been found in the rubbish pits of early British coastal settlements on both the South and East coasts.

Contrary to popular belief, the Romans did not "introduce oysters to Kent ": they found superb ones there and taught the British how to cultivate them and according to Pliny they sometimes even sent British oysters to Rome for special feasts. The methods of cultivation they taught were, very basically:

1. Not to overfish.

2. To dredge the beds and examine the results, destroying any diseased oysters and removing mussels, starfish, "sting winkle" etc. which kill them, then return them to the bed for further growth.

3. As oysters spawn in June and take a couple of months to recover, not to fish them during May to August.

4. Because the oyster spat settles and grows on old shells, to return empty, healthy shells called "cultch" to the bed to receive the spat next time spawning occurs.

These basic rules are still used by the men of Kent, Essex and Cornwall today.

There are the remains of a Roman settlement, probably a trading post, in the fields above Merthen Quay. They are two square fields with the remains of a defensive ditch around them, and a track from the quay leads right up to them.

It cannot be stretching the imagination too much to suggest that the Romans used to eat Helford oysters and taught our forebears near two thousand years ago how to cultivate them. Their methods have probably been handed down over the centuries as "Oyster Lore".

Oysters were an important addition to the diet of our ancestors, legislation being used to regulate the trade. As early as 1577 oyster dredging was prohibited in the Thames Estuary between Easter and Lammas. In 1638 oyster production was restricted to 1000 barrels per week in Essex and exports were confined to the Prince of Orange and the Queen of Bohemia, both Protestants ! After the month of May, it was a felony to dredge for oysters.

It is not surprising that landowners with oyster-bearing estuaries restricted the fishing rights to themselves. Such was the case with the Vyvyans of Trelowarren and Merthen. The documents for Merthen were taken to Exeter before WW II for safe keeping. As luck would have it, they were destroyed there by enemy action, so we are grateful to Charles Henderson, who had examined them in 1932, for the following information.

In 1506, a document of the Manor of Merthen, which by then had become part of the great Trelowarren estate, reads as follows: "From time before the memory of man, the Lorde of the Manor shall have the chiefe or best fish of all porpoises, thornpoles, dolphins and other sortes of great fish between the passage.." i.e. between Calamansack Bar and Gweek.

A Merthen Manor Survey of 1580 refers to "...Oyster Fishing worth £2.10 per year...". A lease of Merthen granted by Sir Richard Vyvyan specifically excluded "... the Head Fish, dredging and taking of Oysters, anchorage, bushellage and killage..."

Groyne Point. The two small square fields in the centre of the picture are the site of a Roman trading post with defensive ditches.

Another document stated in 1658,"... Anchorage dues from the Maen Broath Rock to Gweek Bridge are the rights of Sir Richard Vyvyan..." This document was acknowledged by the signatures of three members of the Mayn family of Lower Calamansack. The Maen Broathe Rock can be seen at low tide, a few feet from the beach and a little to the East of the gazebo, which is prettily perched on the cliff overlooking the channel at Calamansack Bar.

Sir Richard Vyvyan took action in the Court of Chancery in 1659 complaining that ".. Fishermen living on the banks of the Helford River including John Meane (Mayn) of Constenton (sic) had fished and dredged for oysters, refused to give up head fish and anchored and unloaded boats without paying dues..." John Mayn in defence said that he had seen a man pull down the Maen Broathe Rock marking the Vyvyan boundary in 1654 or 5. (This was during the Commonwealth.) The Vyvyans won their case. (Possibly the Judges could see that the days of the Commonwealth were numbered.)

In 1681, William Gwavas of Carlyon, who had rented Merthen Manor and consequently Calamansack from the Vyvyans, granted a sub-lease to Jonathan Mayn for part of Lower Calamansack including "... one little piece of land in the Downes of Calamansack Wollas ... where the said Jon. Meane do spread his nets ..." The agreement clearly included the fishing and oysterage rights for the rent was "... 20/- per year and 1000 largest and best oysters." The Vyvyans disputed Gwavas' fishing and oysterage rights and after further extensive litigation, they won and the agreement had to be cancelled in 1712.

By 1815 the Oyster and fishing grounds belonging to Trelowarren estate were divided between the upper - from Maen Broathe to Gweek, and the lower - Polwheveral and Polpenwith Creeks. At this time they let the upper to Charles Scott of Trewardreva and Francis Pender of Budock Vean for £300 per annum and the lower for £50. It is likely that the latter was to James Mayn of Lower Calamansack for from this time he seems to have settled the family's perpetual differences with the Vyvyans over fishing and was by then running his oyster business. We have not, however, succeeded in finding the agreement.

The Vyvyans obviously felt deprived of their oysters for in 1829 Merthen and its upper fishing rights were let to John Tyacke at a rent of £450 per year and in addition 100 best oysters to be delivered to Trelowarren House each Tuesday and Friday throughout the whole year!

The Tyackes made a commercial proposition of this lease for in 1882 they had a vessel built at Porthleven, called the "Rob Roy", with a "wet hold" midships, to carry oysters to Plymouth each week, to be sold locally and also for despatch by the new train service to London. Eventually they

CAUTION
STEALING OYSTERS

The following is a copy of the Sentence of **Mr. JUSTICE COLERIDGE,** *on John Carlyon, John Williams and John Dudley* &c
Indicted at the Summer Assize 1839, for Stealing Oysters from the Oysterage of Sir. RICHARD RAWLINSON VYVYAN, Bart. in the
HELFORD RIVER then and now occupied by Mr. JOHN TYACKE.

SENTENCE

You have all been **CONVICTED** on the clearest evidence of **STEALING OYSTERS** from an **OYSTER BED, WELL MARKED OUT AND KNOWN.** There is a disposition on the part of the Prosecutor to deal leniently with you, and I am disposed to do the same, as all of you have received from the papers lying before me a very good and unexceptionable Character, and I believe all that is said in your favor. I am willing to hope **THAT WHAT YOU DID WAS UNDER A WRONG IMPRESSION,** though it would make you guilty in the eye of the law of **STEALING AND OF BEING CONSIDERED THIEVES.** I am very sorry that persons of your situation and character should have ever been brought into that position. It is always a reflection and a discredit where men of your character are brought up and placed at the prisoner's bar; it is indeed a great disgrace. **PROPERTY** of **THIS KIND** must be **PROTECTED.** It must be understood that **THE OWNER OF A FISHERY MUST BE AS SAFE IN THE ENJOYMENT AND POSSESSION OF HIS PROPERTY AS THE OWNER OF A HOUSE.** He has just as much right to it, He is paying a Rent of £450, a year for the enjoyment of it. *How is he to pay that Rent if all the people are to go and take away his Oysters, and if one can do it others may do it.* **YOU HAVE NO MORE RIGHT TO DO IT THAN YOU HAVE TO GO INTO A FIELD AND TAKE A SHEEP,** *therefore the thing must not be done again, or I shall certainly, if I should ever be here again and you are brought before me, treat you in a very different manner to that in which you will now be treated.* The only circumstance that interposes here between your having a very light punishment and a nominal punishment is, that you go in the night time in a considerable number, and that those with you have sticks, and that when the owners go there to protect their property, you turn upon one of the party and beat him with your sticks. If that is repeated it will be necessary to visit it with very severe punishment indeed. It would be like **a case of violent robbery which must be prevented** and if ever that force is repeated it will be treated most severely. What I am now going to do I hope will not be misunderstood. You appear to be three respectable young men who may have acted upon a mistaken notion, and therefore I am not only going to pass a light sentence, but I have been speaking to the gaoler who will take care that you are not placed along with low society to have your morals corrupted. The sentence of the Court is, and I hope its mildness will have a proper effect upon you, that you be imprisoned in the House of Correction for the space of six weeks, and that during that time you be kept to hard labour.

Helston, 5th December, 1846.

Grylls and Hill
SOLICITORS, HELSTON

PENALUNA, PRINTER, AND BOOKBINDER, HELSTON.

also leased the lower fishery after the Mayns had given up fishing it, so had all the oysters in the river.

The oysters were guarded closely: prosecutions followed any poaching and were given publicity by privately printed posters. At the summer assizes of 1846, three young men, previously of good character, were found guilty of taking oysters from the river. They were sent to a house of correction for six weeks with hard labour, the Judge telling them that but for their excellent character references they would have had a much longer sentence. "Let it be a warning to others: stealing oysters is just the same as stealing sheep," he said.

The following year (1847) an action for trespass was brought against a number of fishermen, who claimed that they were trying to assert their rights to fish and dredge because the river was a public place open for public navigation.

The lessee of the fishing had tried to stop them by bringing an armed naval cutter from Plymouth, but the officer refused to interfere with the men's fishing, saying that he was under orders only to prevent violence.

As he seemed unable to secure the lower grounds, Tyacke moored a string of boats across the river from Calamansack Bar to Maen Broathe Rock and hired a crowd of miners armed with bludgeons to keep the local men away!

By this time Pond House in Polwheveral creek had been built and this became the depot for the oyster fishery, which continued in this way for about fifty years. In the 1890s the Tyackes appointed Mr Leonard Hodge's grandfather and later his father as their "Oyster Bailiff".

The Tyackes are last shewn as oyster merchants at Port Navas in Kelly's Directory of 1904 and again in 1906, when it was in the name of Mrs Elizabeth Tyacke.

It is probable that by this time the oysters were being landed at Port Navas instead of at Pond House. We believe that for a couple of years after this the fishery was run by the Duchy of Cornwall, who by now seemed to own the rights.

The next change occurred c.1910 when a syndicate calling themselves "The Original Helford Oysterage and Fishing Company" took over the lease and, following the Companies Acts of 1908 and 1913, formed themselves into a Limited Company.

After the first World War in about 1921, the company was bought out by Macfisheries Ltd, who later became a subsidiary of the vast Unilever Conglomerate. Mr Hodge's father, who had in his turn also been oyster bailiff to the Tyackes, now became "Manager of the Oyster Fishery". The Duke of Cornwall, later to become Edward VIII, visited the fishery in the

Henry Warren and Ernie Rickard cleaning oysters in one of the old oyster dredgers, which had been on the river since about 1840.

early 30s, and since 1957 the present Duke has honoured us with a visit on several occasions.

The first time Prince Charles came was when the Royal Yacht "Britannia" dropped anchor in Porthallow Bay in 1957. The Royal Family came ashore in the Royal Barge and had a picnic on the grass in front of Pond House, Polwheveral Creek. The Helford River Pilot, Mr Howard Rendle, brought them up the river, and afterwards the Duke of Edinburgh and Prince Charles paid a visit to the Fishery at Port Navas before returning with Her Majesty to the ship. The remarkable thing about this visit was that although it took place in mid-August, the family had complete privacy, because there was a sea fog and none of the locals or holiday makers had any idea what was going on.

After 1948, a great deal of money was invested in the firm by Macfisheries, who appointed Mr. Hodge's son, Leonard, as their manager. He thus became the third generation of his family to work in the fishery. National advertising gave prominence to the delights of Helford oysters compared with others in the country. This was quite correct, for to many their fresh sea tang and rich fleshiness is quite remarkable and far superior to many others which are less tasty.

The fundus (or bed) of the river below Maen Broathe Rock (Calamansack), which included that of Port Navas creek, had been owned

Oystermen outside the old Oyster Farm, about 1922

for centuries by the Bishop of Exeter and later by the Ecclesiastical Commission. At some time between the late nineteenth century and WWII, this was also transferred to the Duchy of Cornwall.

Sadly in the late 1980s most of the River Fal and our own river became infected with Bonamia, probably brought over from Brittany where it was rife. This is a disease which kills the oysters, and for a time it became impossible to obtain any local oysters apart from those in Percuil Creek, which had survived.

Happily this is now over and we are once again able to get some of our healthy local oysters from Mr. Hodges, who has taken over the lease from Unilever and trades under the original name used by the syndicate in 1910. They have diversified in recent years and now also deal in mussels, clams and occasionally other shellfish.

REFERENCES:
1. *Oysters* - Prof. C. M. Yonge
2. *A History of the Parish of Constantine* - Charles Henderson
3. *The Mayne Family* - Privately published, by courtesy J. Mayne Esq. of E. Grinstead

We are grateful to Leonard Hodges Esq. for his help in compiling this chapter.

The Oyster Farm immediately after World War II

CHAPTER EIGHT

The Twentieth Century

The village entered the new century with gloom and despondency. For the imports of granite from Norway at half the price of Cornish granite had decimated the order books and had caused many of the local quarries to close, creating much unemployment. The reason ours was so expensive, as explained earlier, was that it had to be obtained from deeper and deeper quarries, whereas the Norwegians had so much that they were still getting it almost as surface moorstone.

The demand grew less and less and consequently the need for ships decreased. Eventually Freeman and Co. decided that one port was enough for them and ceased their operation at Port Navas. They carried on in Penryn until 1964, but the number of quarries operating became smaller and smaller every year. They substituted Steam Traction Engines for horses in the 1920s. It must have been quite a sight when they went down Hillhead to Penryn Quay. Once one of these enormous machines suffered a brake failure and ran away down the hill!

The lease of the Port Navas quays was taken over by John Constantine Winn, who was the coal merchant for the district. His son, Mr Henry Winn, tells us that he thinks this was in 1902. We cannot find any documentary evidence for this date but it certainly fits in with the story. Later he purchased them from the Mayns. There was a gate at the entrance to Quay Road and once a year a penny toll was charged.

At some stage the Winns built a small quay on the beach between the two other ones, known as "the coal bank". It is covered at half tide and had two big posts at either end, visible at all times, to which vessels were made fast. It made it easier for unloading the coal into carts when the tide was other than high. The coal was first weighed on heavy scales that had a big brass dial and then tipped over the side of the ship into the carts. Harry Tippet, who lived at Inow farm, kept the tally, recording it on a large blackboard. The coal was then taken to the store made on the land where Miss Beale now lives.

Carts going down to unload a cargo at the quay, about 1908. The maids from Trewince and the Doctor's car can be seen in the foreground.

Another firm, M. L. Blamey and Son, who imported agricultural fertilizer known locally as "manure", also used the port facilities, presumably by arrangement with Mr Winn, and this commodity was stored in the first building on the left on Quay Road, which was run by Capt. Williams. It was a barn and in those days was without the flat on top. It was always referred to as "the manure store."

Occasionally other commodities such as corn and animal feed were shipped in and out, but it was mostly coal and fertilizer that were landed. The reason for the enormous amount of coal shipped in during the latter part of the nineteenth and early twentieth centuries was to supply the steam engines used both in the mines and to drive the cranes for the granite industry. Only a relatively small amount was required for household use.

At this period the village consisted mostly of seven largish families, the Collings, Hodges, Rendles, Tippets, Tremaynes, Warrens and Williams. Several of the fathers were retired mariners.

Captain Steve Bates opened the Temperance Hotel in what had been the "Jolly Sailor" early in the new century. It does not seem that it was a big money spinner for it was not long before he also opened a village store next door in the lean-to building now used by the Save the Children charity. A communicating door was knocked in the abutment wall of the

72

Hotel. Just before WWI, a small Post Office was opened in the shop, Capt. Bates becoming the sub postmaster. The first mention of a public telephone was here in 1930, but there were other private subscribers before this.

By 1901, holidaymaking had begun and various people let accommodation, or served "Cornish Cream Teas". The principal of these was Graham Rogers, who had been a carpenter at Anna Maria mine and married Ellen (known as "Hellencie"), one of the three daughters of Bill Thomas, a previous landlord of the "Jolly Sailor". The three girls were living together in Pennance House and kept a small shop in one of the back rooms. When the marriage took place, the other two sisters moved away.

Graham brought two statues from a large garden in Plymouth and these have adorned the porch for over ninety years. Probably his greatest claim to fame was painting the statues to make them look like the figureheads of a ship. This has now become traditional, and many visitors know the village by its "figureheads", so it has to be kept up. Graham and Hellencie opened the "Port Navas Refreshment Rooms" there shortly after the turn of the century and later they made tea gardens on the land on the other side of the road by the stream. All the bread and cakes were home made and they did a roaring trade out of the pleasure boats that brought a load of

Pennance Refreshment Rooms, about 1913

73

visitors from Falmouth every day during the summer months. They also provided full board residence for people who wanted to stay in the village.

Later in the '20s and '30s, many of the other wives (Mesdames Collings, Moyle, Tremayne and Williams) started "doing teas" and would importune the visitors as they walked up from the quay "to come to their establishment". On one occasion the demand was so great that no eats were left in the village. Captain Williams remarked afterwards, "We had to give the last who came to us sweet cakes!" Ever afterwards he was known as "Sweet Cakes".

Two of the steamers that ran trips here from Falmouth were the "Queen of the Fal" and the "Princess Victoria". Very quaint old steamships they were, with picturesque tall thin red funnels. Although they were built in 1888, they kept going until 1939, when they joined the Navy as mine-sweepers and were posted to the Clyde. One of them was sunk by a mine and the other was broken up at the end of the war because she was too far gone to make the journey back to Falmouth. They were both very much missed by all who knew them for they had such a nice "fancy".

Graham Rogers was called up to the first World War, and when he returned home opened in addition a building business and yacht yard on the higher quay, where he continued to thrive until his death some months after an accident in 1956. He was certainly one of the characters of Port Navas.

The shop next door to the Temperance Hotel was taken over about 1922 by Sid Hodges, but he soon passed it to Capt. Tom Collings, who ran it until c.1939 when it closed. The Collings continued with some very limited trading in Mayn Cottage, where they lived, retiring two or three years later.

In 1926 a young newly married engineer arrived in the village on holiday and he decided to start a business here. He was a most gifted engineer and had been trained by a first class firm called Frazer and Chalmers; afterwards he had worked in South Wales for the mining engineers Powell Duffryn. His name was Fred Thomas and he became one of the leading lights of the village. For some obscure reason, he was always known as "Skip" Thomas. He did have a chip on his shoulder though: he knew he was a first class engineer and he, quite rightly, could never reconcile the fact that his very fine skills were never properly appreciated by everyone in the small village in which he lived! He had a well equipped workshop and would make absolutely anything, which he continued to do, even in retirement, until his death in 1983.

He took over the old coal store, built a fine workshop there, and bought "Firleigh", the house next door, from the Moyles. He and Bunnie, his wife, lived there for the rest of their days. He specialised in internal combustion

SS "Queen of the Fal" having disembarked passengers at Lower Quay

The same passengers making their way to the tea gardens

The schooner "Fanny Crossfield" unloading at Higher Quay in 1926

marine engines, when they were quite a new development, and he fitted and maintained many during the fifty years that he worked here.

At this time the coal dump was moved to what is now a garden abutting the head of the creek.

Having sold his house to Fred Thomas, "Toby" Moyle, already a competent general builder, shipwright and wheelwright, bought the manure store, turned it into his workshop and built himself a flat with clapboard cladding above it. He was another "character", rather small and slightly bent, who looked very like Popeye the Sailor - he always smoked a short pipe. Although he was a shipwright, he hated the sea and would never go in a boat. He put a front door on the front of the first story flat intending to put a balcony there - "dreckly". When he and his wife died fifty years later it still had not been done, and it was left to future owners to complete his original plan.

Albert Rendle, who had been mate on the "Howard" when she took the last load of granite from Port Navas for the building of Tower Bridge in 1894, being now retired, became the Official Pilot for the Helford River. This post he continued to hold until shortly before his death, when it was taken over by his eldest son Howard, who also continued until his death. As a coincidence, both Howard Rendle and "Skip" Thomas passed on

Croft Cottage, 1928. The wandering hens show how quiet the road was then.

within hours of each other in the Spring of 1984. Two people whom the village respected and mourned very much.

Thus in the first forty years of the new century, Port Navas boasted an oyster farm, two builders and shipwrights, a garage, engineering and petrol station, a river pilot, a coal business, a village shop and P.O., tea gardens, accommodation and of course a fairly prosperous agricultural community. So it had diversified well after the crippling blow of losing the granite trade.

During the inter-war years, regattas were held each year by the locals and some magnificent feats of rowing and swimming were performed. They died out, but were restarted c.1962 and still continue, having now developed into gigantic fund raising exercises by virtue of the efforts of the ladies and in particular of Miss Marjorie Rendle. In addition they run coffee mornings, side shows and a bric-a-brac stall and serve teas. A large sum of money is donated to charity each year as a result of their efforts.

The village is decorated with flags and the regatta provides great entertainment for those running it and also for the holidaymakers who come and support it.

On the Sunday evening of Regatta Weekend, Constantine Silver Band hold a Carolaire on the lower quay, when favourite hymns are sung in the

Pillars of Port Navas society, about 1922
Back row: Jack Rendle, Sid Harvey, Farmer Ould, Mrs Peters, Millie Tremayne
Middle row: Mrs White, ? , Edith Tremayne
Front row: Johnny Vague, Capt. Steven Bate, Capt. Peter Pascoe

still summer air. The continuity is provided by the clergy of either church or chapel. It makes a nice ending to the festivities.

The 1939-45 war came and it upset everyone's life, but Port Navas ticked through it and came out the other side having "done its bit".

First, in those terrible days of summer 1940, a mass of refugees arrived in their boats from Brittany. Throughout the autumn and onwards there were air raids on Falmouth and near misses fell all round, but there was no actual damage to the village itself.

Early in 1943 a unit called the "Inshore Patrol Flotilla" was formed and based on Helford River. The shore H.Q. was at Pedn Billy. The Naval officers in charge included the two Warington Smyth brothers, Nigel and Bevil, whose home was in Calamansack House and who before the war had been keen local yachtsmen. (For fuller details, see *Operation Cornwall*.)

It was understood that the Unit was pretty secret and that it was connected with "Boom Defence". They had a sailing vessel, H.M.S. "Sunbeam", moored in the river as their mother ship and at first had five Breton trawlers moored alongside. The Warington Smyths recruited much local talent, who knew small boats, knew the cross channel run and having been carefully "vetted" were known to be trustworthy. Their real job was to ensure each of the trawlers was ready at a moment's notice to whip across the Channel, contact the French, exchange agents etc., and return. One of the men picked and posted to the unit was Howard, eldest son of Albert Rendle. He was a Port Navas man, who had sailed many times with the Warington Smyths before the war. They had him drafted in from Scapa Flow where he was serving at the time.

One of their ploys was as Breton Tunny fishermen to drop down in one of the trawlers and mingle with the French Tunnymen off Concarneau, swap agents, then slip away as quietly as they had come. Each of the trawlers carried a Free Frenchman, always a Breton, in the crew to do the talking.

On one occasion, on Christmas Eve 1943, they had a particularly difficult task on the Ile Stagadon near l'Aberwra'ch and brought home sixteen people including some escaping R.A.F. personnel and a V.I.P. agent, who carried the first details of the V2 installations.

Howard Rendle was promoted Sub Lieutenant and later awarded the D.S.C.

His younger brother Arthur, who worked with "Skip" Thomas in the garage and marine engine business, used to maintain their engines. "Skip" Thomas had been directed by the Ministry of Supply to undertake this work. "Skip's" own skills were of course of great use in making items for this unit, one example of which was accurately turned, silent rowlock shanks and seatings for the special surf boats. These boats had been designed by Nigel Warington Smyth to effect beach landings in poor conditions and surf. Fred Thomas' skills were also used in contracts for the Ministry of Supply making intricate devices for armaments (all in Port Navas).

The amazing thing about the whole of this operation was the security. It was a very important unit indeed but its true work and details never leaked out until it was all over, which speaks a lot for the integrity of the villagers and the well remembered "Careless Talk Costs Lives" campaign. Normally everyone in a small village knows and talks about everything going on, interesting or not!

Later, just before D-Day, the whole area was filled with American troops and transport. There was a security blackout, and it became a restricted area for several months. For several days up to and including 4th June 1944, there was the continual sound of the tanks and other vehicles embarking for Normandy on the hard at Trebah Beach.

The war ended and men of the village such as Stan Williams, Walter Warren, Len Hodges and others, who had been serving in the forces overseas, returned home. Things in the village gradually returned to normal, but it had taken its toll, or rather the peace had. The old ones have passed on and there have been no such characters to take their places.

John Winn, the leaseholder, had bought the quays in the 1920s, and later had sold the higher one to Graham Rogers, keeping the lower one himself. When he retired, it was bought by the Rev. T. A. Webber of Fowey, who held it until about 1953, when he sold it to the Vinnicombe Bros, local salvage men. They were diving on the wreck of the"Volnay", a vessel torpedoed during the 1914-18 war whilst carrying a load of shells. She had managed to make Porthallow Bay, and sank in about seven to eight fathoms of water.

The Vinnicombes bought an old sandbarge called the S.S. "V. B. Lamb", 138 tons G.R.T. She had been used by the R.A.S.C. as a supply boat for the forts on the sandbanks of the Thames Estuary, during the second World War. She was ideal for the Vinnicombes when once the major obstacle of making the passage down from Portsmouth had been overcome. She was pretty "clapped out" and scarcely made it, but when she eventually arrived, she made a useful diving tender for a couple of years, during which time tons of old ammunition was salvaged and sold as scrap on Port Navas quay. The cordite was disposed of there by burning it, much to everyone's consternation.

Eventually she developed a very bad leak and was broken up alongside the quay. We mention her because she was the last vessel of any size trading out of the Port.

SS "V. J. Lamb", the last commercial vessel to work out of Port Navas

When the wreck of the "Volnay" was worked out, the brothers applied for permission to open a café on the quay. After a lot of opposition by the village and a long Public Inquiry, it was refused, and Cornwall County Council bought Lower Quay for the public, but excluded any trade use, so we no longer have any pleasure boats landing here. They sold it almost immediately to the Duchy of Cornwall, who asked their tenants Macfisheries Ltd. to administer it.

Towards the end of the war, Graham Rogers sold Higher Quay to Messrs Eric Bannister and Harold Penrose, who continued to use it as a yacht yard and chandlery. Graham remained as a sort of manager, until he finally retired in about 1947. He eventually died in 1956.

About 1948 Eric Bannister took over the yard from his partner, and continued to use it as a yacht yard and chandlery. In 1956 he obtained planning permission to open the "Yacht Yard Club" and also a club licence for a bar.

During the ensuing years, the word "Yard" was dropped from its name and we now have a "Yacht Club", which also has moorings and a pontoon - a mini marina.

Today the only two businesses in the village are the Oysterage, and Port Navas Club. There is a lot of holiday accommodation which is let during the summer months, but agriculture, so the farmers tell us, is in a parlous state partly because of the restrictions of the European Economic Community.

Soon after WWII, the old village store became an estate agent's office, and when they went it became the "Save the Children Shop".

This enterprise was started in 1973 by a magnificent lady, Miss Mary Hawkins, who, as a nurse, had spent most of her life overseas caring for these very children. She made very substantial sums of money for the Charity through this shop and another one in Constantine. She was sadly missed when she retired to Perranuthnoe a few years ago, but both shops continue the work she started through caring volunteers.

For twenty years from 1968 - 88 we again had a fine village shop run by Mr and Mrs Walter Warren on the corner of Trewince Lane. However, shopping habits changed; more and more people began to use the supermarkets, only buying emergency stores in the village. The final straw came with the crippling business rate tax, which made it into a mere chore, and sadly it was closed. It was a classic example of "use it or lose it" and we got what we deserved. Most people miss both its convenience and the very friendly atmosphere which Mrs Marjorie Warren engendered.

Port Navas is now renowned as a beauty spot but has become partly a dormitory for wage-earners in the surrounding towns, and for the rest there are a number of retired people, both locals and a few immigrants from up country, who live here. Nearly all the property is occupied as homes, apart from places kept solely for letting. There are only three dwellings that are second homes, used only when their owners come down.

There are a number of children in the community, but they are rapidly growing up and people don't seem to be having any new babies.

It is no longer a "busy little port". Apart from the oyster dredgers, it is all leisure boating, busy in summer and laid up in winter.

What does the future hold? If it can withstand piecemeal development and a building boom, Port Navas will continue as it is and will always be a little gem. If it goes the other way, it could very soon become a housing estate - perish the thought - or even worse, a little gem surrounded by a housing estate!

Please God, let the Planning Committees be guided only by good sense.

REFERENCES:

1. Kelly's Directories
2. *Cornwall and the Tumbling Sea* - Nigel Tangye
3. The memories of the elder residents of the village

MERCHANT SAILING SHIPS
Vessels mentioned as part of the "Story of Port Navas"

"GUIDING STAR" Off. No. 73582

Built: 1875 Kilpinpyke (Yorks.?) by ?. Banks Jr.
Port of Registry: 1. 1875 London
                2. 1898 Padstow
                3. 1924 Plymouth
Tonnage: 107 G.R.T. Length: 81.4ft Beam: 22.6ft Draught: 11ft
Freeboard Midships: 11ft 8in
Owner: 1. 1875 (and Master) J.Wetherall of Knottingley
         Employed in Newfoundland Trade
         2. 1898 M.Thomas of Wadebridge
         3. 1923 Geo. Turner, North Quay, Plymouth
Master: 1875 Capt. J.Wetherall
          1883 Capt. J.Mackley of Wadebridge
          1895 Capt. ?. Hargrave
          1916 Capt. J.Pinch
          19?? Capt. Tom Collings of Port Navas
          1921 Capt. Keats of Port Isaac
Abandoned at sea 1926
Authority: Records of World Ship Society

"HOWARD" Off. No. 82977 (ex "Howard of Milford")

Port of Registry: 1. 1884 Milford Haven 4th Feb. Port No.1/1884
                2. 1901 Bideford 21st Jan. Port No.1/1901
                3. 1910 Scilly 22nd Feb. Port No.1/1910
Built: Neyland, W.Wales 1884 by Joshua Mills
Tonnage: 50. Increased to 55 tons, 1885 Length: 63.5ft Beam: 17.3ft
Draught: 8.3ft Freeboard Midships: 9ft Decks: 1 Rig: Ketch
Stern: Elliptic Frame: Wood Figurehead: Dogshead
Flag Code: J G W L
Owner: 1884 Joshua Mills of Neyland 64/64

1885 Sold 10.5.84 to:

W.M.Wilmot of Penryn (Bank Mgr.) 16/64

Melchizadek Tremayne (Farmer) Mawnan 32/64 (Managing Owner)

John Bevan Jun. (Smelter) Redruth 16/64

1892/1900 Melchizadek Tremayne of Mawnan

1901 Sold to: J.R.Mead of Appledore

1910 Sold to: George Phillips, St Mary's, Scillies

According to the 1861 census, Melchizadek Tremayne farmed Inow, Port Navas. He moved to Mawnan in retirement. He was the Gt. Grandfather of the Rendles, who still live in Port Navas. She was the family ship and was sailed and crewed by them.

Master: 1885-1901 Capt. Charles Rendle

1901 ?

1910 Capt. William Cornish

Trade: Coastal

Foundered 4 miles Norwest of Wolf Lighthouse at 3.30 a.m. 2.7.1910.

Auth: Letter from owner dated 5.7.1910

LLOYD'S LIST 7th July 1910:

PENZANCE 2nd July 1910

Ketch "Howard" of Bideford, 50 tons, built 1884, from Swansea to Scilly with coal foundered off Wolf Lighthouse at 04.00 today. Crew landed here by Cardiff pilot cutter.

BOARD OF TRADE RECORDS 2nd July 1910:

"HOWARD" Ketch of Scilly (O.N.82977) Age 26 yrs. Built 1884 Neyland. Tonnage: 43. Crew: Three. Voyage: Swansea to Scillies with Coal. Foundered 3½ miles South Wolf Lighthouse.

SCILLIES RECEIVER OF WRECKS 2nd July 1910:

Ketch "HOWARD" of Scilly (O.N. 82977). Built 1884 at Neyland. 43 tons. 3 hands. Master: William Cornish. Swansea for Scilly with 87 tons of coal. Foundered about 3½ miles South of Wolf Rock. Caused by heavy labouring of vessel and leaking. Master and crew picked up by Cardiff Pilot Cutter No. C 75.

ROYAL CORNWALL GAZETTE 7th July 1910:

The ketch "Howard" owned by Mr. Geo. Phillips of St.Mary's, Isles of Scilly, bound for that port with a cargo of coal from Cardiff, had her chain plate carried away in boisterous weather early on Saturday morning near the Wolf Lighthouse. She sprang a leak and sank. The Captain and crew were afterwards picked up by a pilot boat and landed at Newlyn.

[Records of shipwreck, from the Dunn Collection of Shipwrecks, Royal Institution of Cornwall]

"LEURIER"

No record of this vessel is found. Could she have been the "Lutha of Padstow" or the "Luther"?

"PET"   Off. No. 41126

Port of Registry: Padstow 11/1857
Built: Levi Barton, Pugwash, Nova Scotia, 1857
Ketch Rig. Said to be 45 tons increased to 59 tons c.1875.
Owner : 1889 Thomas Martin, Wadebridge
Master: 1. Capt. Bate (Senior) till 1871 (Sydney Bate - boy cook)
            2. Capt. Stephen Bate in July 1879
Trade: Coastal
Lost: 3 miles off Strumble Head, 1911

"QUEEN OF THE CHASE"   Off. No. 13049

Port of Registry: Falmouth
Registered: 1. Falmouth 1852/8
                  2. 1862/6
Built : James Mayn, Falmouth, 1852
Tons: 98
Decks: One   Masts: Two   Length: 66ft 8in Beam: 17ft Draught: 10ft
Signal code: L F J V   Rig: Schooner , stndg bowsprit   Square stemmed
Carvel   No galleries   Figurehead : Female bust   Framework: wood
Owners: 1852 Contributing: Edwin Pope (Shipbroker) 16/64
        John Austen Michelle (Druggist) 16/64
        James Mayn (Shipbuilder) 16/64
        Other: John Currah (Gentleman) 16/64
        All of Falmouth
        1881 P.A.Jeffrey of Falmouth
        c.1881 Capt. William Bunt of Port Navas
        1902 Capt. Sydney Bate, Beacon Trce. Falmouth
Masters: 1867/71/73 Capt. Cutliffe
        1873   Capt. Jordan
        1881   Capt. Sydney Bate of Port Navas
Traded: Mediterranean (fruit), West Indies, Newfoundland
From 1881 Coastal
Wrecked: 1905. Total loss, abandoned to underwriters.

"ROB ROY"   Off. No. 86123 (after 1906 renamed "Ailsie")

Port of Registry: Falmouth ? / 1882
Built: Porthleven, R.Kitto and Sons, 1882
Tons: ?   Length: 43ft   Beam: 13ft 6in   Draught: 6ft
Square stern, straight stem   Masts: Two   Rig: Ketch   Wet hold midships
    for carrying oysters
Owner: 1882 John Tyacke of Merthen, Helford River
           1906 Elizabeth Tyacke (widow)
Trade: Local - mostly Helford to Plymouth with oysters and fish. When
    not occupied with this work, carried coal, timber and grain for
    Constantine.
Berth: Merthen Quay   Moorings: Creek 50yds up river
Sold 1906.   Fitted with an auxiliary engine 1916.   Lost 1925.

"TREBISKIN"   Off. No. 22179

Port of Registry: Padstow
Built: S.T.Bennet, Padstow, 1859
Tons: 59, lengthened 1868 to 69 tons   Rig: Schooner Signal code: N K L V
Owner: (1876) Thomas Martyn of Padstow
Master: 1869   John Bate (*aet* 26yrs)
           1874   William Bate (*aet* 25 yrs) (Sydney Bate A.B.)
           1877   do.   (Sydney Bate *aet* 22 yrs was mate.)
Trade: Coastal   Lost with all hands 1919

"WATERLILY"   Off. No. 45226

Registered: Falmouth
Built: Ben Blamey, Falmouth, 1863
Tons: 62.49   Length: 65.70ft   Beam: 19.20ft   Draught: 9.10ft
Signal Code: V C L B
Owners: 1863 - 67 Ben Blamey, Falmouth
        1871 - 86 Capt. William Bunt, Port Navas
Masters: 1867 Capt. Nicholls
        1871 Capt. J.Pitick
        1871 Capt. W.Bunt
        1874 Capt. Syd. Bates
Trade: Coastal
Lost: Cardiff, 1887

s.s. "V.B.LAMB" (ex "Catrina")

Built: 1882, London
Gross tonnage: 138 tons   Net: 65 tons
L.O.A. 116ft   Beam 20ft
Engines: Coal fired, triple compound, 28 h.p.   Twin Screws
Hold: One (6ft 6in) midships   Steam Winch with Grab
Owner: 1. Owen R. Guard, Vectis Transport Co., Portsmouth
          2. Martin Vinnicombe of Falmouth
Used as a sandbarge
1939 commandeered by Royal Army Service Corps for duties as a tender to
    the troops stationed in the A.A. Forts on the sandbanks of the
    Thames Estuary.
1947 sent to Pound's Yard, Portsmouth for disposal.
c.1954 bought by Vinnicombe Bros. Falmouth as a diving tender for £1500.
Used from Port Navas for salvage work in Porthallow Bay.
Broken up at Port Navas c.1959.
This was the last vessel of any size to work out of Port Navas.

(Information by Brian Spargo Esq. from Reginald Matthews and Lloyd's
Register of Shipping)

The "Guiding Star" lying alongside at Padstow (Photograph courtesy RIC)